Trollkarlens hatt

TOVE JANSSON

Trollkarlens hatt

RABÉN
& SJÖGREN

MUMINBÖCKERNA:

Småtrollen och den stora översvämningen (1945)
Kometjakten (1946), i omarbetad version
Kometen kommer (1968)
Trollkarlens hatt (1948)
Muminpappans Bravader Skrivna av Honom Själv (1950),
i omarbetad version *Muminpappans memoarer* (1968)
Farlig midsommar (1954)
Trollvinter (1957)
Det osynliga barnet och andra berättelser (1962)
Pappan och havet (1965)
Sent i november (1970)

Rabén & Sjögren Bokförlag
Box 45022
104 30 Stockholm
raben-sjogren@raben.se
http://www.raben.se

Tidigare utgiven på annat förlag

© Tove Jansson, 1948, 1968
Omslagsformgivning: Jukka Aalto
Första upplagan
AiT ScandBook, Falun 1997
ISBN 91-29-64011-3

Innehåll

Inledning

En grå morgon föll den första snön över Mumindalen.
Den kom smygande tätt och tyst, och på några timmar
var allting vitt.

Mumintrollet stod på trappan och tittade på hur da-
len drog vinterlakan över sig, och han tänkte stillsamt, i
kväll går vi i ide. För så brukar alla mumintroll göra
nångång i november (och det är egentligen ganska för-
nuftigt av den som inte älskar mörker och köld). Han
stängde dörren och tassade in till sin mamma och sa:

Snön har kommit.

Jag vet, sa Mumintrollets mamma. Jag har redan bäddat med de varmaste täckena åt er allihop. Du får sova i västra vindskammaren tillsammans med det lilla djuret Sniff.

Men Sniff snarkar så förskräckligt, sa Mumintrollet. Kunde jag inte få sova med Snusmumriken istället?

Som du vill, sa Muminmamman. Sniff kan få ligga i östra vindskammaren.

Så förberedde sig muminfamiljen och alla deras vänner och bekanta omständligt och allvarligt för den långa vintern. Mumintrollets mamma dukade åt dem på verandan men var och en fick bara granbarr i sin kopp (det är nämligen viktigt att ha magen full av barr om man tänker sova tre månader). När middagen var slut (och den smakade inget vidare) sa man godnatt lite ordentligare än vanligt och mamman uppmanade alla att borsta tänderna. Sen gick Mumintrollets pappa omkring och stängde alla dörrar och fönsterluckor och hängde myggnät över takkronan för att den inte skulle bli dammig.

Och så kröp var och en ner i sin säng, gjorde en trevlig grop åt sig, drog täcket upp till öronen och tänkte på nånting roligt. Men Mumintrollet suckade lite och sa:

Vi förlorar en hel massa tid i alla fall!

Inte! sa Snusmumriken. Vi drömmer. Och när vi vaknar igen är det vår...

Ja..., mumlade Mumintrollet. Han hade redan glidit långt bort i drömmarnas halvskymning.

Därute föll snön, tätt och fint. Den täckte redan trappan, den hängde tung över tak och fönsterkarmar. Snart skulle hela muminhuset vara en mjuk, rund driva. Klockorna upphörde att ticka, den ena efter den andra, vintern hade kommit.

Första kapitlet

i vilket beskrives hur Mumintrollet, Snusmumriken och Sniff hittade Trollkarlens hatt, hur fem små moln oförmodat uppenbarade sig, och hur Hemulen skaffade sig en ny hobby.

En vårmorgon klockan fyra flög den första göken genom Mumindalen. Den satte sig på det blåa muminhusets tak och gol åtta gånger, lite hest visserligen, för det var ännu mycket tidigt på våren.

Sen flög den vidare mot öster.

Mumintrollet vaknade och låg en lång stund och tittade i taket utan att förstå var han befann sig. Han hade sovit hundra nätter och hundra dagar, och drömmarna vimlade ännu omkring honom och ville dra in honom i sömnen igen.

Men när han snurrade runt för att hitta en ny trevlig sovställning fick han syn på nånting som gjorde honom alldeles klarvaken. Snusmumrikens säng var tom.

Mumintrollet satte sig upp.

Jo, Snusmumrikens hatt var också borta. Det var det värsta, sa Mumintrollet.

Han tassade fram till det öppna fönstret och tittade ut. Jaha, Snusmumriken hade använt repstegen. Mumintrollet halade sig över fönsterbrädet och klättrade försiktigt ner på sina korta ben. Han kunde tydligt se Snusmumrikens fotspår i den våta jorden. De fnattade hit och dit och var ganska svåra att följa. Ibland gjorde de långa skutt och korsade sig själva. Han har varit glad, funderade Mumintrollet. Här har han gjort en kullerbytta, det är klart och tydligt.

Plötsligt lyfte Mumintrollet nosen och lyssnade. Långt borta spelade Snusmumriken på sin munharmonika, han spelade sin gladaste visa: "Alla små djur slår rosett på sin svans." Mumintrollet började springa rakt mot musiken.

Nere vid floden träffade han på Snusmumriken som satt på broräcket med benen dinglande över floden och sin gamla hatt neddragen över öronen.

Hej, sa Mumintrollet och satte sig bredvid honom.

Hej, hej, sa Snusmumriken, och spelade vidare.

11

Solen hade nätt och jämnt hunnit över skogstopparna och lyste dem rakt i ansiktet. De kisade på henne och svängde med benen över det blanka rinnande vattnet och kände sig obekymrade och vänskapliga.

På den här floden hade de seglat mot många märkliga upplevelser förr i världen. Och på varje resa hade de hittat nya vänner och tagit dem med sig hem till Mumindalen. Mumintrollets pappa och mamma tog emot alla deras bekantskaper lika lugnt, de flyttade bara in nya sängar och gjorde matbordet större. Så hade muminhuset blivit ett vimmelhus där man gjorde vad som föll en in och sällan bekymrade sig för morgondagen. Där hände visserligen uppskakande och förskräckliga saker ibland men ingen hann nånsin ha tråkigt (och det var ju en stor fördel).

När Snusmumriken kommit till sista versen av sin vårvisa stoppade han munharmonikan i fickan och sa:

Är Sniff vaken?

Det tror jag inte, sa Mumintrollet. Han sover alltid en vecka längre än de andra.

Då ska vi väcka honom, sa Snusmumriken beslutsamt och hoppade ner från broräcket. Vi måste göra nånting ovanligt idag för det blir en fin dag.

Under östra vindskammarens fönster signalerade Mumintrollet enligt deras hemliga system: tre vanliga visslingar och en lång i tassarna (vilket betyder, det är saker i görningen). De hörde att Sniff slutade snarka, men ingenting rörde sig däruppe.

En gång till! sa Snusmumriken. Och de signalerade med dubbel kraft.

Då smälldes fönstret upp.

Jag sover! skrek Sniff förargat.

Kom ner nu, och var inte arg, sa Snusmumriken. Vi tänker göra nånting ovanligt.

Då rätade Sniff ut sina sovskrynkliga öron och klättrade nerför repstegen (man bör kanske omnämna att de hade repstegar under alla fönster för det tar så lång tid att gå i trappor).

Det höll verkligen på att bli en fin dag. Marken var full av yrvakna kryp som hade sovit hela vintern och sprang omkring och kände igen sig överallt. Man vädrade kläder och borstade morrhåren och lagade sina hus och beredde sig på allt sätt för den nya våren.

Ibland stannade de och tittade på ett husbygge eller hörde på ett gräl (såna förekommer nämligen ofta de första vårdagarna för man kan ha mycket dåligt morgonhumör just när man har krupit ur idet).

Här och var satt trädandar på grenarna och kammade sitt långa hår, och i snöfläckarna på stammarnas norrsida grävde mössbarn och småknytt långa tunnlar.

Glad vår! sa en äldre snokherre. Och hur har vintern varit?

Tack bra, svarade Mumintrollet. Har farbror sovit gott?

Fint, sa snokherrn. Hälsa till pappa och mamma!

Sådär ungefär pratade de med en mängd personer de

mötte. Men ju högre uppåt berget de kom dess folktommare blev det, och till slut såg de bara en och annan musmoder som fnattade omkring och vårstädade.

Det var vått överallt.

Fy så obehagligt, sa Mumintrollet och lyfte tassarna högt i den smältande snön. Det kan aldrig vara bra för ett mumintroll med såhär mycket snö. Det har mamma sagt. Och så nös han.

Hör du mumintroll, sa Snusmumriken. Jag har fått en idé. Hur skulle det vara om vi gick ända upp på bergstoppen och reste ett kummel för att visa att ingen har varit där före oss?

Det gör vi! ropade Sniff och satte iväg för att hinna före de andra.

På toppen dansade vårvinden fritt omkring och runtom såg man blåa horisonter. Västerut låg havet, österut slingrade floden in bland Ensliga Bergen, norrut bredde de stora skogarna sin vårliga matta, och i söder steg röken ur Mumintrollets skorsten för Mumintrollets mamma kokade morgonkaffe. Men Sniff såg ingenting av allt detta. För på bergets topp låg en hatt, en hög svart hatt.

Nån har varit här före oss! skrek Sniff.

Mumintrollet tog upp hatten och tittade på den. Den är mycket fin, sa han. Kanske den passar på dig, mumrik.

Nej nej, sa Snusmumriken som älskade sin gamla gröna hatt. Den är alldeles för ny!

14

Kanske pappa vill ha den, funderade Mumintrollet. Vi tar den med oss, sa Sniff. Men nu vill jag hem. Min mage vrålskriker efter kaffe. Gör era?

Om! sa Mumintrollet och Snusmumriken med känsla.

Så gick det till när de hittade Trollkarlens hatt och tog den med sig hem, utan en aning om att de därigenom gjorde Mumindalen till en tummelplats för trolleri och besynnerligheter av alla slag.

När Mumintrollet, Snusmumriken och Sniff kom in på verandan hade de andra redan druckit kaffe och försvunnit åt olika håll. Bara Mumintrollets pappa satt kvar och läste tidningen.

Jaså, ni har också vaknat, sa han. Märkvärdigt lite i tidningen idag. En bäck har sprängt sin fördämning och tillintetgjort ett myrsamhälle. Alla räddades. Vidare flög den första vårgöken genom dalen klockan fyra och fortsatte mot öster (en tröstergök är ju bra förstås men en västergök hade varit ännu bättre).

Titta vad vi har hittat, sa Mumintrollet stolt. En fin, svart hög hatt åt dig!

Muminpappan undersökte hatten mycket noga och så satte han den på sig framför salongsspegeln. Hatten var något för stor och svår att se i men det hela gjorde ett mäktigt intryck.

Mamma! skrek Mumintrollet. Kom och titta på pappa!

Mamman öppnade köksdörren och stannade mycket förvånad på tröskeln.

Klär den mig? frågade Muminpappan.

Det gör den nog, sa Mumintrollets mamma. Ja, du ser ju riktigt manlig ut i den. Den är bara liksom en liten aning för stor.

Är det bättre så här? frågade pappan och sköt hatten i nacken.

Hm, sa Muminmamman. Visst är det bra, men jag tror nästan du ser mer värdig ut utan hatt.

Pappan speglade sig framifrån och bakifrån och från

sidorna, och så ställde han hatten på byrån med en suck.

Du har rätt, sa han. Det är inte allt som behöver prydas.

Behaget pryder sig självt, sa Mumintrollets mamma vänligt. Ät mer ägg, ungar, ni har levat på barr hela vintern! Och så försvann hon ut i köket igen.

Men vad ska vi göra med den? frågade Sniff. En så fin hatt!

Ha den som papperskorg, sa Mumintrollets pappa. Därefter drog han sig tillbaka till övre våningen för att skriva sina memoarer (den stora boken som handlar om Muminpappans stormiga ungdom).

Snusmumriken flyttade ner hatten på golvet mellan byrån och köksdörren. Nu har ni en ny möbel igen, sa han och grinade, för Snusmumriken hade sällan förståelse för ägandets glädje. Han trivdes med den gamla kostym han hade haft på sig sedan han föddes (var och hur vet ingen), och den enda ägodel han inte gav bort var munharmonikan.

Är ni klara med frukosten så går vi ut och ser vad snorkarna har för sig, sa Mumintrollet. Men innan han gick ut i trädgården slängde han sina äggskal i papperskorgen, för han var (ibland) ett ordentligt mumintroll.

Så var det tomt i salongen.

I hörnet mellan byrån och köksdörren stod Trollkarlens hatt med äggskal på botten. Och nu hände nånting verkligt underligt. Äggskalen började förvandla sig.

Det är nämligen så, att om nånting får ligga tillräckligt länge i en trollkarls hatt så förvandlas det till nånting helt annat – vad kan man aldrig veta på förhand. Det var en lycka att Mumintrollets pappa inte passade i hatten, för hade han behållit den på sig lite längre så vete alla smådjurs beskyddare vad det hade blivit av honom. Som det nu var fick pappan bara en lätt huvudvärk (och den gick över på eftermiddagen).

Men äggskalen låg kvar i hatten, och de började långsamt byta form. De behöll sin vita färg men växte och växte och blev mjuka och ulliga. Om en stund fyllde de hatten helt och hållet. Och så lösgjorde sig fem små runda moln från hattbrättet och seglade ut på verandan, dunsade mjukt nerför trappan och stannade i luften en liten bit över marken. Men Trollkarlens hatt var tom.

Det var det värsta, sa Mumintrollet.

Är det eldsvåda? frågade Snorken oroligt.

Orörliga stod molnen framför dem, utan att förändra form, som om de väntat.

Snorkfröken sträckte mycket försiktigt ut tassen och rörde vid den närmaste molntappen. Den känns som bomull, sa hon förvånad. De andra kom närmare och kände efter.

Precis som en liten dyna, sa Sniff.

Snusmumriken gav ett av molnen en varlig knuff. Det gled ett stycke och stannade igen.

Vems är de? frågade Sniff. Hur kom de in på verandan?

Mumintrollet skakade på huvudet. Det var det konstigaste jag har varit med om, sa han. Kanske vi borde gå in efter mamma.

Nej, nej, ropade Snorkfröken. Vi ska undersöka dem själva. Och hon drog ner ett moln på marken och slätade över det med tassen. Så mjukt! sa Snorkfröken. Och i nästa sekund hade hon satt sig på molnet och gungade fnittrande upp och ner.

Får jag också ett! skrek Sniff och äntrade ett annat moln. Hej hopp! Men när han sade hopp! lyfte molnet och beskrev en elegant liten båge över marken.

Du milde! utbrast Sniff. Det rörde sig!

Nu störtade alla upp på varsitt moln och ropade hopp! Hej hopp!

Molntussarna seglade iväg som stora lydiga kaniner

hit och dit i långa skutt. Det var Snorken som kom underfund med hur man styrde dem. Ett lätt tryck med ena tassen, och molnet svängde. Med båda tassarna, full fart framåt. Små vickningar med baken, och molnet steg ända tills man höll sig stilla.

Det var alldeles förfärligt roligt.

De vågade sig ända upp i trädtopparna och på muminhusets tak.

Mumintrollet landade med sitt moln utanför Muminpappans fönster och skrek: Kukeliku! (Han var så hänförd att han inte hittade på nånting fiffigare.)

Muminpappan släppte sin memoarpenna och störtade fram till fönstret.

Vid min svans! utbrast han. Vid min svans! Mer kunde han inte få fram.

Det här blir ett fint kapitel för dina memoarer, sa Mumintrollet. Och så styrde han sitt moln till köksfönstret och ropade på mamma.

Muminmamman höll på med att laga pyttipanna och hade mycket bråttom.

Vad har du nu hittat på, lilla muminbarn, sa hon. Akta dig bara så du inte trillar ner!

Men nere i trädgården hade Snorken och Snusmumriken hittat på nånting nytt. De styrde i full fart mot varandra och kolliderade med en mjuk duns. Den som först ramlade av hade förlorat.

Nu ska du få se! skrek Snusmumriken och klämde tassarna i molnets sidor. Framåt!

Men Snorken väjde skickligt åt sidan och anföll sedan lömskt underifrån.

Snusmumrikens moln kantrade och han föll på huvudet i rabatten så att hatten trycktes ner över nosen.

Tredje ronden! skrek Sniff som var skiljedomare och flög en bit över de andra. Två mot ett! Klara? Färdiga! Gå!

Ska vi göra en liten flygtur tillsammans? frågade Mumintrollet Snorkfröken.

Gärna, sa Snorkfröken och styrde upp sitt moln bredvid hans. Vart ska vi fara?

Om vi skulle leta reda på Hemulen och förvåna honom, föreslog Mumintrollet.

De gjorde en tur över trädgården, men Hemulen fanns inte på sina vanliga platser.

Han brukar aldrig ge sig av långt, sa Snorkfröken. Senast jag såg honom sorterade han sina frimärken.

Men det var för ett halvår sen, påpekade Mumintrollet.

Aj, javisst! sa Snorkfröken. Vi har ju sovit sen dess.

Sov du gott? frågade Mumintrollet.

Snorkfröken flög elegant över en trädtopp och funderade lite innan hon svarade. Det var en hemsk dröm jag hade! sa hon. En otäck karl i en hög svart hatt som grinade åt mig.

Det var konstigt, sa Mumintrollet. Jag hade precis samma dröm. Hade han vita handskar också?

Just det, sa Snorkfröken och nickade.

De tänkte en stund över detta medan de sakta gled genom skogen.

Plötsligt fick de syn på Hemulen som vankade fram med tassarna på ryggen och nosen riktad mot marken. Mumintrollet och Snorkfröken gick i glidflykt ner på varsin sida om honom, och på en gång ropade de:

Godmorgon!

Usch! utbrast Hemulen. Fy, vad jag blev rädd! Ni vet att man inte får vara plötslig mot mig, jag kan få hjärtat i vrångstrupen.

Aj, ursäkta, sa Snorkfröken. Ser du vad vi rider på!

Det var underligt, sa Hemulen. Men jag är så van vid

att ni gör underliga saker. Och just nu är jag svårmodig.

Varför det? frågade Snorkfröken medlidsamt. En sån här fin dag?

Hemulen skakade på huvudet. Ni skulle ändå inte förstå mig, sa han.

Vi ska försöka, sa Mumintrollet. Har du tappat ett feltryck nu igen?

Tvärtom, suckade Hemulen. Jag har alla. Vartenda ett. Min frimärkssamling är fullständig. Ingenting saknas i den.

Nå, då så! sa Snorkfröken uppmuntrande.

Ja, jag visste ju att ni inte skulle förstå mig, sa Hemulen.

Mumintrollet och Snorkfröken tittade bekymrat på varann. De lät sina moln backa en liten bit av hänsyn till Hemulens sorg och fortsatte strax bakom hans rygg. Hemulen vankade vidare medan Mumintrollet och Snorkfröken väntade på att han skulle tala om det som hans hjärta var fullt av.

Och om en stund utbrast Hemulen: Ha! Meningslöst.

Efter ännu en stund sa han:

Vad tjänar alltsammans till! Man kan använda min frimärkssamling till tuppapper!

Men Hemul då! sa Snorkfröken upprörd. Tala inte sådär! Din frimärkssamling är den finaste i världen!

Det är just det! ropade Hemulen förtvivlat. Den är färdig! Det finns inte ett frimärke, inte ett feltryck som jag inte har samlat. Inte ett enda! Vad ska jag ta mig till?

Jag tror jag börjar förstå, sa Mumintrollet långsamt. Du är inte samlare längre, du är bara ägare, och det är inte alls så roligt.

Nej, mumlade Hemulen förkrossad. Inte alls. Han stannade och vände sitt hoprynkade ansikte mot dem.

Kära Hemul, sa Snorkfröken och klappade honom försiktigt på tassen. Jag har en idé. Tänk om du skulle börja samla nånting helt annat, nånting alldeles nytt?

Det är en idé, medgav Hemulen. Men han var fortfarande hopskrynklad, för han tyckte inte han kunde vara glad genast efter ett så stort bekymmer.

Fjärilar till exempel? föreslog Mumintrollet.

Omöjligt, sa Hemulen och dystrade till. Det samlar min kusin på fädernet. Och honom kan jag inte tåla.

Sidenband då? sa Snorkfröken.

Hemulen bara fnös.

Smycken? fortsatte Snorkfröken förhoppningsfullt. De tar aldrig slut!

Äsch, sa Hemulen.

Ja, då vet jag verkligen inte, sa Snorkfröken.

Vi ska fundera ut nånting åt dig, sa Mumintrollet tröstande. Mamma vet säkert. Från det ena till det andra, har du sett Bisamråttan?

Han sover än, svarade Hemulen sorgset. Han sa att det var onödigt att stiga upp så tidigt, och det hade han sannerligen rätt i. Och Hemulen fortsatte sin ensliga vandring genom skogen.

Mumintrollet och Snorkfröken styrde sina moln ända upp över trädtopparna och vaggade sakta framåt i solskenet. De funderade på nånting som Hemulen skulle kunna samla på.

Snäckor? framkastade Snorkfröken.

Eller byxknappar, sa Mumintrollet.

Men värmen gjorde dem sömniga. Det gick inte att tänka. De lade sig på rygg på sina moln och tittade upp i vårhimlen där lärkorna sjöng.

Och plötsligt fick de syn på den första fjärilen. Varenda en vet ju att om den första fjärilen man ser är gul, så betyder det att sommarn blir glad. Om den är vit blir det bara en lugn sommar (svarta och bruna fjärilar ska man inte alls tala om, det är alldeles för sorgligt).

Men den här fjärilen var gyllene.

Vad kan det betyda? undrade Mumintrollet. En guldfjäril har jag aldrig sett förr.

Guld är ännu bättre än gult, sa Snorkfröken. Du ska få se!

När Mumintrollet och Snorkfröken kom hem till middagen mötte dem Hemulen på trappan. Han strålade av glädje.

Nå? sa Mumintrollet. Vad blev det?

Växter! skrek Hemulen. Jag ska botanisera! Snorken hittade på det. Jag ska samla ihop världens finaste herbarium! Och Hemulen bredde ut kjolen*) för att visa

---

*) Hemulen gick alltid klädd i en klänning som han ärvt av sin moster. Jag misstänker att alla hemuler går i kjol. Det är konstigt, men det är så. – *Förf. anm.*

26

dem sitt första fynd. Bland jord och löv låg en liten smal vårlök.

Gagea lusea, sa Hemulen stolt. Nummer ett i samlingen. Felfritt exemplar.

Och han gick in och tömde alltsammans på matbordet.

Flytta dig till hörnet, sa Mumintrollets mamma, för här ska soppan stå. Är alla inne? Sover Bisamråttan än?

Som en gris, sa Sniff.

Har ni haft roligt idag? frågade Muminmamman när hon hade fyllt alla tallrikar.

Hemskt roligt! skrek hela familjen.

Nästa morgon när Mumintrollet gick till vedboden för att släppa ut de fem molnen var de försvunna, vartenda ett. Och ingen kunde tänka sig att det hade nånting att göra med några äggskal som åter låg på botten av Trollkarlens hatt.

Andra kapitlet

i vilket berättas om hur Mumintrollet blev förvandlat till
till ett spökdjur och äntligen utkrävde hämnd på Myr-
lejonet, samt om Mumintrollets och Snusmumrikens
hemlighetsfulla nattvandring.

En varm och stilla dag när sommarregnet föll över Mu-
mindalen beslöt man sig för att leka kurragömma inom-
hus.

Sniff stod i ett hörn med nosen i tassarna och räkna-
de högt. När han kom till tio svängde han runt och bör-
jade leta; först på de vanliga gömställena och sen på de
underliga.

Mumintrollet låg under verandabordet och kände sig
lite orolig. Det *var* ingen bra plats, det kände han på sig.

Sniff skulle absolut lyfta på bordduken och då var han fast. Mumintrollet tittade hit och dit, och då fick han syn på den höga svarta hatten som nån hade ställt i en vrå.

Det var en glänsande idé! Sniff skulle aldrig hitta på att lyfta på hatten. Mumintrollet kröp snabbt och tyst bort till hörnet och drog hatten över huvudet. Den räckte inte längre än till magen, men om han gjorde sig riktigt liten och stoppade in svansen skulle han säkert bli ganska osynlig.

Mumintrollet fnittrade för sig själv när han hörde hur alla de andra blev hittade, en efter en. Hemulen hade tydligen gömt sig under soffan igen, han hittade aldrig nån bättre plats. Nu sprang de omkring allesammans och sökte efter Mumintrollet.

Han väntade ända tills han blev rädd att de skulle ledsna på letandet, då kröp han ur hatten och stack in huvudet genom dörren och sa: Tittut!

Sniff stirrade på honom en lång stund, sen sa han ganska ovänligt: Tittut själv.

Vem är det där? viskade Snorkfröken.

De andra skakade på huvudet och fortsatte att stirra på Mumintrollet.

Stackars lilla mumintroll! Han hade blivit förvandlad till ett mycket underligt djur inne i Trollkarlens hatt. Allt som var runt på honom hade blivit smalt och allt som var smått hade blivit stort. Och det mest konstiga var att han själv var den enda som inte kunde se hur det var fatt.

Nu blev ni allt förvånade, sa Mumintrollet och tog ett osäkert steg framåt på sina långa, skrangliga ben. Ni har inte en aning om var jag har varit!

Det intresserar oss inte, sa Snorken. Men du ser verkligen så ful ut att vem som helst kan bli förvånad.

Vad ni är ovänliga, mumlade Mumintrollet sorgset. Ni fick väl leta för länge. Vad ska vi göra nu?

Först av allt borde du kanske presentera dig, sa Snorkfröken stelt. Vi vet ju inte alls vem du är.

Mumintrollet tittade förvånad på henne, men så kom han att tänka på att det här var en ny lek. Han skrattade förtjust och sa: Jag är Kungen av Kalifornien!

Och jag är snorksystern, sa Snorkfröken. Det här är min bror.

Jag heter Sniff, sa Sniff.

Jag är Snusmumriken, sa Snusmumriken.

Usch vad ni är tråkiga, sa Mumintrollet. Kunde ni inte ha hittat på nånting ovanligare! Nu går vi ut, jag tror det håller på att klarna.

Han klev ut på trappan, och de andra följde honom, mycket förvånade och ganska misstänksamma.

Vem är det där? frågade Hemulen som satt utanför huset och räknade ståndare i en solros.

Det är Kungen av Kalifornien, sa Snorkfröken tveksamt.

Ska han bo här? frågade Hemulen.

Det får Mumintrollet avgöra, sa Sniff. Jag undrar just vart han tog vägen.

Mumintrollet skrattade. Du är verkligen ganska lustig ibland, sa han. Tänk om vi skulle leta reda på Mumintrollet!

Känner du honom? frågade Snusmumriken.

Tja, sa Mumintrollet. Det skulle man kunna säga! Ganska bra, i själva verket! Han var sprickfärdig av förtjusning över den nya leken och tyckte att han skötte sig storartat.

När lärde du känna honom? frågade Snorkfröken.

Vi föddes samtidigt, svarade Mumintrollet och höll på att explodera av munterhet. Men han är en riktig stropp, vet ni! Man kan knappt ha honom i möblerade rum!

Fy, så får du inte säga om Mumintrollet, sa Snorkfröken häftigt. Han är det bästa troll i världen och vi tycker hemskt mycket om honom!

Mumintrollet var hänförd. Verkligen! sa han. Jag tycker Mumintrollet är en riktig pest, jag.

Då började Snorkfröken gråta.

Ge dig av, sa Snorken hotfullt. Annars klår vi upp dig!

Såså, sa Mumintrollet häpet. Det var ju bara en lek! Jag är väldigt glad att ni tycker så mycket om mig.

Det gör vi visst inte! skrek Sniff gällt. På honom! Kör bort den otäcka kungen som talar illa om vårt mumintroll!

Och de kastade sig samfällt över det stackars Mumintrollet. Han var alldeles för häpen för att kunna försvara sig, och när han hunnit bli arg var det försent; han låg underst i en boxande och skrikande röra av armar, svansar och tassar.

Muminmamman kom ut på trappan.

Vad går det åt er, ungar! ropade hon. Sluta genast upp att slåss!

De klår upp kungen av Kalifornien! snyftade Snorkfröken. Och det gör de rätt i!

Mumintrollet kravlade sig fram, medtagen och arg.

Mamma! skrek han. Det var de som började! Tre mot en, det är inte rättvist!

Det medger jag, sa Muminmamman allvarsamt. Men du hade säkert retat dem. Vem är du förresten, lilla djur?

Sluta upp med den där fåniga leken, skrek Mumintrollet. Ni är inte ett dugg lustiga. Jag är Mumintrollet, och där står min mamma på trappan. Och därmed punkt!

Du är inte Mumintrollet, sa Snorkfröken föraktfullt. Han har små vackra öron men dina ser ut som grytlappar!

Mumintrollet tog sig förvirrad om huvudet och fick tag i ett par hemskt stora, skrynkliga öron. Men jag *är* Mumintrollet! utbrast han förtvivlad. Tror ni mig inte?

Mumintrollet har en liten lagom svans, men din ser ut som en lampborste, sa Snorken.

O, det var sant! Mumintrollet kände efter därbak med darrande tassar.

Dina ögon är som tallrikar, sa Sniff. Mumintrollets var små och vänliga!

Just det, bekräftade Snusmumriken.

Du är en bedragare! avgjorde Hemulen.

Finns det ingen som tror mig! utbrast Mumintrollet. Titta noga på mig, mamma, så måste du känna igen ditt muminbarn!

Muminmamman tittade noga. Hon såg in i hans skrämda tallriksögon, mycket länge, och sen sa hon stillsamt:

Jo, du är Mumintrollet.

Och i samma ögonblick började han förvandlas. Ögonen och öronen och svansen krympte ihop, och nosen och magen växte. Och där stod Mumintrollet hel och hållen framför dem i all sin glans.

Kom i min famn, sa Muminmamman. Ser du, mitt lilla muminbarn kommer jag ändå alltid att känna igen.

Lite senare på dagen satt Mumintrollet och Snorken på en av de hemliga platserna, den under jasminbusken, där man är omgiven av en grön rund bladgrotta.

Ja, men det *måste* ju ha varit nån som förvandlade dig, sa Snorken.

Mumintrollet skakade på huvudet. Jag såg inget märkvärdigt, sa han. Och inte åt jag nånting eller uttalade några farliga ord.

Men du kanske råkade gå in i en trollring, funderade Snorken.

Inte vad jag vet, sa Mumintrollet. Jag satt hela tiden under den svarta hatten som vi använder som papperskorg.

Inne i hatten? frågade Snorken misstroget.

Just det, sa Mumintrollet.

De funderade en stund till. Så utbrast de på en gång: Det måste vara...! och stirrade på varann.

Kom! sa Snorken.

De gick upp på verandan och närmade sig hatten, mycket försiktigt.

Den ser ganska vanlig ut, sa Snorken. Om man inte räknar med att en hög hatt alltid är ganska ovanlig, förstås.

Men hur ska vi få *veta* om det var den? undrade Mumintrollet. *Jag* kryper inte in i den en gång till!

Kanske man kunde lura dit nån annan, funderade Snorken.

Men det vore bra nedrigt, sa Mumintrollet. Hur kan vi veta att han blir riktig igen!

Vi tar en fiende, föreslog Snorken.

Hm, sa Mumintrollet. Vet du nån?

Stora råttan på slaskhögen, sa Snorken.

Mumintrollet ruskade på huvudet. Henne går det inte att lura.

Nå, Myrlejonet då? föreslog Snorken.

Det blir bra, sa Mumintrollet. En gång drog han ner min mamma i en grop och sprätte sand i ögonen på henne.

De gav sig av för att leta reda på Myrlejonet och tog en stor burk med sig. Det är på sandstranden man ska söka efter Myrlejonets lömska gropar, så de vandrade

ner till havet. Det räckte inte länge förrän Snorken upp-
täckte en stor rund grop och gjorde ivriga signaler åt
Mumintrollet.

Här är han! viskade Snorken. Men hur ska vi lura in
honom i burken?

Låt mig sköta det, viskade Mumintrollet tillbaka. Så
tog han burken och grävde ner den i sanden en bit där-
ifrån med öppningen uppåt.

Därefter sa Mumintrollet med hög röst: De är bra
svaga kräk, såna där Myrlejon! Han gjorde ett tecken åt
Snorken och båda tittade förväntansfullt ner i gropen.
Sanden rörde på sig därnere men ingenting syntes.

Mycket svaga! återtog Mumintrollet. De behöver
flera timmar för att gräva ner sig i sanden må du tro!

Ja, men..., sa Snorken tvivlande.

Jadå, sa Mumintrollet och gjorde vilda tecken med
öronen. Flera timmar!

I detsamma stack ett hotfullt huvud med blängande
ögon upp ur sandgropen.

Sa du svag! fräste Myrlejonet. Jag gräver ner mig på tre sekunder, varken mer eller mindre!

Farbror borde nog visa oss hur det går till ifall vi ska tro på det, sa Mumintrollet inställsamt.

Jag ska sprätta sand på er, sa Myrlejonet argt. Och när jag har sprättat ner er i min grop ska jag äta upp er!

Nej, nej, bad Snorken förskräckt. Visa oss hellre hur man kryper ner baklänges på tre sekunder!

Gör det här uppe så ser vi bättre hur det går till, sa Mumintrollet och pekade på den fläck där burken var nergrävd.

Tror ni jag bryr mig om att göra konster för småungar, sa Myrlejonet hånfullt. Men han kunde inte motstå frestelsen att visa dem hur stark och snabb han var. Under föraktfulla fnysningar klättrade han upp ur sin grop och frågade högdraget: Nå, var ska jag gräva ner mig?

Här, sa Mumintrollet och pekade.

Myrlejonet drog upp axlarna och lät manen resa sig på ett skräckinjagande sätt.

Pass på! skrek han. Nu går jag under jorden, men när jag kommer tillbaka äter jag upp er! Ett, två, tre!

Som en snurrande propeller backade Myrlejonet ner i sanden, rakt ner i burken som var gömd under honom. Det gick verkligen på tre sekunder, eller kanske snarare på två och en halv, för han var så hemskt arg.

Fort på med locket! skrek Mumintrollet. De krafsade undan sanden och skruvade på locket med stor kraft.

36

Sen lyfte de med förenade ansträngningar upp burken och började rulla den hemåt. Myrlejonet skrek och gormade därinne men hans röst kvävdes av sanden.

Det var otäckt vad han är arg, sa Snorken. Jag vågar inte tänka på vad som skulle hända om han kom ut!

Han kommer inte ut, sa Mumintrollet lugnt. Och när han gör det hoppas jag han blir förvandlad till nånting förskräckligt!

När de kom fram till muminhuset samlade Mumintrollet sina vänner genom att sticka tassarna i munnen och ge till tre långa visslingar (vilket betydde: nånting oerhört har hänt).

De andra kom farande från alla håll och samlade sig runt burken med skruvlock.

Vad har ni där? frågade Sniff.

Ett Myrlejon, sa Mumintrollet stolt. Ett äkta, ilsket Myrlejon som vi har fångat!

Tänk att ni vågade, utbrast Snorkfröken beundrande.

Och nu tänker vi hälla ut honom i hatten, sa Snorken.

Så att han blir förvandlad till ett spökdjur, som jag blev, sa Mumintrollet.

Prata ordentligt så man begriper nånting, bad Hemulen.

Det var för att jag gömde mig i den här hatten som jag förvandlades, förklarade Mumintrollet. Det har vi räknat ut. Och nu ska vi kontrollera saken genom att se om Myrlejonet också blir nånting annat.

Men han kan ju bli vadsomhelst! skrek Sniff. Han kan

bli nånting ännu farligare än ett Myrlejon och äta upp oss allihop!

De stod en stund i skrämd tystnad och tittade på burken och lyssnade till de dämpade ljuden därinifrån.

Voj, voj, sa Snorkfröken ängsligt och förlorade färgen.*)

Vi gömmer oss under bordet medan han förvandlas och lägger en tjock bok över hatten, föreslog Snusmumriken. Man måste alltid ta risker när man experimenterar! Tippa över honom nu med detsamma!

Sniff störtade in under bordet och gömde sig. Mumintrollet, Snusmumriken och Hemulen höll burken över Trollkarlens hatt och Snorkfröken skruvade ängsligt av locket. I ett moln av sand ramlade Myrlejonet ner i hatten, och blixtsnabbt lade Snorken ett lexikon med utländska ord över alltsammans. Sen rusade allihop under bordet och gömde sig. Först hände ingenting.

De tittade fram under bordduken och väntade i stigande oro. Ingen förändring.

Det var bara jox, sa Sniff.

I detsamma började lexikonet med utländska ord att skrynkla ihop sig. Sniff bet Hemulen i tummen av ren upphetsning.

Se upp, sa Hemulen argt. Du bet mig i tummen!

Oj, ursäkta, sa Sniff. Jag trodde det var min!

*) Snorkar förändrar ofta färg vid sinnesrörelse. – *Förf. anm.*

38

Nu krullade lexikonet ihop sig mer och mer. Bladen började likna vissna löv. Och mellan dem kröp alla de utländska orden ut och började kravla omkring på golvet.

Det var det värsta! sa Mumintrollet.

Men nu hände nånting igen. Det började droppa från hattbrättena. Det rann. Floder av vatten plaskade ner på mattan så att de utländska orden fick rädda sig uppåt väggarna.

Myrlejonet har bara blivit vatten, sa Snusmumriken besviken.

Jag tror det är sanden, viskade Snorken. Myrlejonet kommer nog om en stund.

De väntade igen under olidlig spänning. Snorkfröken gömde huvudet i Mumintrollets famn och Sniff pep av förskräckelse. Då visade sig plötsligt världens minsta igelkott på hattkanten. Den nosade i vädret och blinkade, och den var alldeles ruggig och våt.

Ett par sekunder var det dödstyst. Så började Snus-mumriken skratta. Och de andra fortsatte när han måste ta igen sig. De vrålade av skratt och rullade omkring under bordet av ren fröjd. Det var bara Hemulen som inte delade glädjen. Han tittade förvånad på sina vänner och sa: Ja men vi väntade ju att Myrlejonet skulle förvandlas! Om jag kunde begripa varför ni alltid bråkar så om saker och ting.

Under tiden vankade den lilla igelkotten högtidlig och lite sorgsen till dörren och tog sig utför trapporna. Vattnet hade slutat rinna och fyllde verandagolvet som en sjö. Och hela taket var fullt av utländska ord.

När det hela förklarades för Mumintrollets pappa och mamma tog de saken mycket allvarligt och beslöt att Trollkarlens hatt skulle förstöras. Man rullade den försiktigt ner till floden och lät den falla i vattnet.

Det var alltså molnen och spökdjuret, sa Mumintrollets mamma, medan de stod och såg efter den bortglidande hatten.

Det var roliga moln, sa Mumintrollet lite missmodigt. Det kunde ha kommit fler!

Eller flodvågor och utländska ord, ja, sa hans mamma. Så det såg ut på verandan! Och jag kan inte begripa hur jag ska bli av med de där småkrypen. De är i vägen överallt och ställer till oreda i hela huset!

Men molnen *var* roliga i alla fall, mumlade Mumintrollet envist.

På kvällen kunde Mumintrollet inte somna. Han låg och tittade ut i den ljusa juninatten som var full av ensamma rop, av tassande och dans. Det luktade gott av blommor.

Snusmumriken hade inte kommit hem än. Såna här nätter vandrade han ofta omkring ensam med sig själv och sin munharmonika. Men i natt hördes inga visor. Han var nog på upptäcktsfärd. Snart skulle han slå upp sitt tält vid flodstranden och vägra att sova inomhus... Mumintrollet suckade. Han kände sig ledsen utan att ha nånting att sörja över.

Just då hördes en svag vissling under fönstret. Mumintrollets hjärta hoppade till av fröjd och han smög sakta fram till fönstret och tittade ut. Visslingen hade betytt: Hemligheter! Snusmumriken väntade under repstegen.

Kan du bevara en hemlighet? viskade han när Mumintrollet klev ner i gräset.

Mumintrollet nickade ivrigt.

Snusmumriken lutade sig fram och viskade ännu lägre: Hatten har flutit iland på en sandbank en bit neråt floden.

Mumintrollets ögon började lysa.

Vill du? frågade Snusmumriken med ögonbrynen.

Om! svarade Mumintrollet med en liten öronviftning.

Som skuggor smög de genom den daggiga trädgården ner mot floden.

Den ligger två flodkrökar härifrån, sa Snusmumriken

dämpat. Det är egentligen vår skyldighet att rädda den
för allt vatten den fylls med blir rött. De som bor läng-
re neråt floden kommer att bli skräckslagna av det där
hemska vattnet.

Vi borde ha tänkt på det, sa Mumintrollet. Han kän-
de sig stolt och glad att gå så här med Snusmumriken
mitt i natten. Tidigare hade Snusmumriken alltid varit
ensam på sina nattvandringar.

Här nånstans är det, sa Snusmumriken. Där den mör-
ka strimman i vattnet börjar. Ser du?

Inte riktigt, svarade Mumintrollet som snubblade
fram i halvmörkret. Jag har inte nattögon som du.

Jag undrar hur vi ska få tag i den, funderade Snus-
mumriken som stod och tittade ut över floden. Så fånigt
att din pappa inte har nån båt.

Mumintrollet tvekade. Jag simmar ganska bra, ifall
vattnet inte är för kallt, sa han.

Det vågar du inte, sa Snusmumriken tvivlande.

Det törs jag visst det, utbrast Mumintrollet och viss-
te ögonblickligen att han skulle göra det. Åt vilket håll
är det?

Snett ditåt, sa Snusmumriken. Du bottnar ganska
snart på sandbanken. Men akta dig för att sticka tassar-
na in i hatten. Håll i hattkullen.

Mumintrollet gled ner i det sommarvarma vattnet
och simmade på hundvis ut i floden. Där var stark
ström och ett tag kände han sig lite orolig. Nu såg han
sandbanken och på den nånting svart. Han styrde när-

mare med svansen och kände strax därpå sand under tassarna.

Allt väl? ropade Snusmumriken sakta från stranden.

Allt väl! svarade Mumintrollet och vadade upp på sandrevet.

Han såg en mörk ström ringla ur hatten neråt floden. Det var det röda förvandlingsvattnet. Mumintrollet stack tassen i vattnet och slickade försiktigt på den.

Det var det värsta, mumlade han. Det är ju saft! Tänk, hädanefter kan vi få hur mycket saft vi vill bara vi fyller hatten med vatten!

Nå, har du den? ropade Snusmumriken oroligt.

Jag kommer! svarade Mumintrollet och vadade ut i vattnet igen med svansen i en stadig knut om Trollkarlens hatt. Det var besvärligt att simma mot strömmen med den tunga hatten släpande efter sig och när Mumintrollet kröp upp på stranden var han förfärligt trött.

Här är den, pustade han stolt.

Fint, sa Snusmumriken. Men var ska vi göra av den?

Inte i muminhuset, sa Mumintrollet. Knappast i trädgården. Nån kunde hitta den.

Hur skulle det vara med grottan? funderade Snusmumriken.

Då måste vi inviga Sniff i hemligheten, sa Mumintrollet. Det är hans grotta.

Vi får väl göra det, sa Snusmumriken dröjande. Men han är bra liten att ha reda på en så stor hemlighet.

Ja, sa Mumintrollet allvarligt. Vet du, det är första gången jag gör nånting som jag inte kan berätta för pappa och mamma.

Snusmumriken tog hatten i famnen och började gå tillbaka utmed floden. När de kom fram till bron stannade Snusmumriken plötsligt.

Vad är det? viskade Mumintrollet oroligt.

Kanariefåglar! utbrast Snusmumriken. Tre gula kanariefåglar där på broräcket. Så konstigt att se dem ute på natten.

Jag är visst inte nån kanariefågel, pep den närmaste fågeln. Jag är en mört!

Vi är hederliga fiskar alla tre! drillade hans kamrat.

Snusmumriken skakade på huvudet.

Där ser du vad hatten ställer till, sa han. De där tre små fiskarna simmade säkert in i den och blev förvandlade. Kom så går vi raka vägen till grottan och gömmer hatten!

Mumintrollet höll sig tätt efter Snusmumriken medan de gick genom skogen. Det prasslade och tassade på båda sidor om vägen och var nästan lite hemskt. Ibland stirrade små lysande ögon mot dem bakom stammarna, ibland ropade någon till dem från marken eller trädkronorna.

En vacker natt! hörde Mumintrollet en röst rakt bakom sig.

Fin! svarade han modigt. Och en liten skugga slank förbi honom in i skumrasket.

På stranden var det ljusare. Hav och himmel gled ihop till en enda blekblå, skimrande yta. Långt ute hördes fåglars ensamma lockrop. Det var redan på morgonsidan. Snusmumriken och Mumintrollet bar Trollkarlens hatt upp till grottan och ställde den upp och ned i det innersta hörnet så att ingenting skulle kunna falla ner i den.

Det här var nog det bästa vi kunde göra, sa Snusmumriken. Och tänk du, ifall vi skulle få tillbaka de fem små molnen!

Jo! sa Mumintrollet som stod i grottans mynning och såg ut i natten. Fast jag undrar om de skulle kunna göra det finare än det är just nu...

Tredje kapitlet

vari beskrives hur Bisamråttan drog sig tillbaka till öde-marken och upplevde nånting obeskrivligt, hur Äventyret förde muminfamiljen till hatifnattarnas ensliga ö där Hemulen höll på att bli uppbränd och hur det stora åsk-vädret gick fram över dem.

Nästa morgon när Bisamråttan som vanligt gick ut med sin bok och lade sig i hängmattan för att läsa om alltings onödighet, gick snöret av och han dunsade i marken.

Oförsvarligt! sa Bisamråttan och befriade sig från filten.

Så tråkigt då, sa Mumintrollets pappa som höll på

med att vattna sina tobaksplantor. Jag hoppas att ni inte slog er?

Det är inte *det*, sa Bisamråttan dystert och drog i sin mustasch. Jorden kan rämna om den vill, det berör inte mitt lugn. Men jag tycker inte om att försättas i löjliga situationer. Det är ovärdigt!

Men det var ju bara jag som såg på, invände Muminpappan.

Ledsamt nog! sa Bisamråttan. Det är inte lite jag har varit utsatt för i ert hus. Förra året till exempel ramlade en komet ner på mig. Det gjorde ingenting. Men som ni kanske minns, satte jag mig på er frus chokladtårta! Det var ytterst pinsamt för min värdighet! Jag hittar hårborstar i min säng – ett synnerligen dumt skämt. För att inte tala om...

Jag vet, jag vet, avbröt Muminpappan förkrossad. Men det är inget lugnt hus det här. Och snören blir ibland tunna med åren...

De får inte bli det, sa Bisamråttan. Om jag hade slagit ihjäl mig hade det förstås inte gjort nånting. Men tänk om de andra hade sett på! Nu ämnar jag emellertid dra mig tillbaka till ödemarken och leva ett liv i ensamhet och lugn och avstå från allting. Det är mitt fasta beslut.

Oj då, sa Mumintrollets pappa imponerad. Var nånstans?

I grottan, sa Bisamråttan. Där kan ingenting störa mina tankar med dumma skämt. Ni kan få hämta mat åt mig två gånger om dan. Men inte före klockan tio.

Bra, sa pappan undergivet. Ska vi bära dit några möbler?

Det kan ni göra, sa Bisamråttan lite vänligare. Men mycket enkla. Jag förstår att ni inte menar illa, men er familj har drivit mig till gränsen för mitt tålamod. Så tog Bisamråttan sin bok och sin filt och vandrade långsamt uppåt sluttningarna. Muminpappan suckade en stund för sig själv, sen fortsatte han att vattna tobaken och glömde snart bort alltsammans.

När Bisamråttan kom in i grottan kände han sig mycket nöjd. Han bredde ut filten på sandgolvet, satte sig på den och började tänka med detsamma. Det fortsatte han med ungefär två timmar. Allt var tyst och fridfullt och genom rämnan i grottans tak sken solen milt på hans ensamma tillflyktsort. Ibland flyttade sig Bisamråttan lite när solstrimman gled ifrån honom.

Här ska jag stanna ständigt, ständigt, tänkte han. Hur onödigt är det inte att hoppa omkring och prata, att bygga hus och laga mat och samla ägodelar!

Han tittade sig belåten omkring i sitt nya hem, och då fick han syn på Trollkarlens hatt som Mumintrollet och Snusmumriken hade gömt i det bortersta hörnet.

Papperskorgen, sa Bisamråttan för sig själv. Jaså den står här. Nå, alltid blir den bra till nånting. Han tänkte en stund till, och så beslöt han att sova lite. Han rullade in sig i filten och lade sina löständer i hatten för att de inte skulle bli sandiga. Sen somnade han lugn och glad.

I muminhuset hade man pannkaka till frukost, en stor gul pannkaka med hallonsylt. Dessutom hade man gröten från igår men eftersom ingen ville ha den beslöt man spara den till i morgon.

Idag har jag lust att göra nånting ovanligt, sa Mumintrollets mamma. Att vi blev av med den där otäcka hatten är en sak som borde firas och dessutom blir man så lessen av att jämt sitta på samma ställe.

Det är så sant! instämde Muminpappan. Vi gör en utfärd nånstans. Va?

Vi har varit på alla platser redan. Det finns ingen ny! sa Hemulen.

Men det måste det finnas, sa pappan. Och finns det inte, så gör vi en. Sluta genast att äta, ungar – vi tar maten med oss.

Får man äta upp det man redan har i mun? frågade Sniff.

Var inte fånig, sa Muminmamman. Samla kvickt ihop vad ni ska ha med er för pappa vill starta med detsamma. Men ta inget onödigt med. Vi får skriva ett meddelande åt Bisamråttan så han vet var vi finns.

Vid min svans! utbrast Mumintrollets pappa och tog sig om pannan. Det hade jag glömt! Vi skulle ju bära mat och möbler till honom i grottan!

I grottan? skrek Mumintrollet och Snusmumriken samtidigt.

Ja, snöret på hängmattan gick av, sa pappan. Och då sa Bisamråttan att han inte kunde tänka längre och att han ville avstå från allting. Ni hade lagt borstar i hans säng och allt möjligt. Och så flyttade han till grottan.

Mumintrollet och Snusmumriken bleknade och gav varann en blick av hemskt samförstånd. Hatten! tänkte de.

Nå, det är väl inte så farligt, sa Muminmamman. Vi gör en utfärd till havsstranden och tar med oss Bisamråttans mat samtidigt.

Havsstranden är så vanlig, gnällde Sniff. Kan vi inte fara nån annanstans!

Tyst ungar! sa pappan med kraft. Mamma vill bada. Nu far vi!

Mumintrollets mamma störtade iväg för att packa.

Hon samlade ihop filtar, kastruller, näver, kaffepanna, mat i långa banor, sololja, tändstickor och allt vad man äter på, i och med, hon packade ner paraply, varma kläder, magpulver, vispar, dynor, myggnät, badbyxor, bordduk samt sin väska. Hon fnattade av och an och grubblade över vad hon hade glömt och till slut sa hon: Nu är det färdigt! O, vad det ska bli skönt att vila vid havet!

Mumintrollets pappa packade ner sin pipa och sitt metspö.

Är ni äntligen klara, frågade han. Och är ni säkra på att ni inte har glömt nånting? Nu vandrar vi!

De tågade iväg mot havsstranden. Allra sist kom Sniff, dragande sex små leksaksbåtar efter sig.

Tror du Bisamråttan har ställt till med nånting? viskade Mumintrollet till Snusmumriken.

Hoppeligen inte! viskade Snusmumriken tillbaka. Men jag känner mig lite orolig!

I detsamma stannade allesammans så plötsligt att Hemulen höll på att få metspöet i ögat.

Vem skriker!? utbrast muminmamman upprörd.

Hela skogen skakade av vilda tjut. Någon eller något kom galopperande mot dem på vägen, brummande av skräck eller ursinne.

Göm er! skrek Mumintrollets pappa. Det är ett odjur som kommer!

Men innan nån hann fly uppenbarade sig Bisamråttan med stirrande ögon och morrhåren på ända. Han viftade med tassarna och höll ett osammanhängande tal som ingen riktigt begrep, men av vilket framgick att han var mycket arg eller rädd eller arg för att han hade blivit rädd. Så skumpade han vidare mot Mumindalen.

Vad gick det åt Bisamråttan? sa Mumintrollets mamma uppskakad. Han som alltid är så lugn och värdig!

Att ta vid sig sådär för att repet på hängmattan gick av, mumlade Muminpappan och skakade på huvudet.

Jag tror han var arg för att vi glömde föra mat till honom, sa Sniff. Nu kan vi äta den själva.

De fortsatte under bekymrade funderingar vandringen mot havsstranden. Men Mumintrollet och Snusmumriken smög sig före de andra och tog en genväg till grottan.

Vi vågar inte gå in genom dörren, sa Snusmumriken. Ifall DET DÄR finns kvar. Vi klättrar upp på berget och tittar ner genom rämnan i taket.

Tysta kravlade de sig upp på berget och ålade sig på indiansätt fram mot taköppningen. Oändligt försiktigt tittade de ner i grottan. Där stod Trollkarlens hatt, och den var tom. Filten låg slängd i ett hörn, boken i ett annat. Grottan var övergiven.

Men överallt i sanden syntes underliga spår, som om nån hade dansat och skuttat omkring.

Det är inte Bisamråttans tassar som har gjort de där spåren! sa Mumintrollet.

Jag undrar om det är några tassar alls, sa Snusmumriken. De ser hemskt konstiga ut. De klättrade nerför berget igen, kastande rädda blickar omkring sig.

Men ingenting farligt mötte dem.

De fick aldrig veta vad som hade skrämt Bisamråttan så förfärligt, för han vägrade att tala om det.*)

Men under tiden hade de andra hunnit fram till stranden. Allesammans stod i en klunga nere vid vattenbrynet och pratade och gestikulerade.

De har hittat en båt! skrek Snusmumriken. Kom så springer vi och tittar!

*) Om du vill ha reda på vad Bisamråttans löständer blev förvandlade till, kan du ju fråga din mamma. Hon vet nog. – *Förf. anm.*

54

Det var verkligen sant. En riktig, stor segelbåt, byggd på klink, med åror och sump och målad i vitt och grönt!

Vems är den? flämtade Mumintrollet när han hade hunnit fram.

Ingens! sa Muminpappan triumferande. Den har drivit iland på vår strand. Det är en present av havet!

Den måste ha ett namn! ropade Snorkfröken. Vore inte Tippan hemskt sött!

Tippa kan du vara själv, sa Snorken föraktfullt. Jag föreslår Havsörnen.

Nej, det måste vara latin, skrek Hemulen. Muminates Maritima!

Jag såg den först! skrek Sniff. Jag måste få välja namn på den. Vore det inte skojigt om den hette SNIFF. Det är så kort och bra.

Tycker du, ja, sa Mumintrollet.

Lugn, ungar! sa pappan. Lugn, lugn. Det är ju klart att mamma väljer namnet. Det är hennes utfärd.

Muminmamman rodnade.

Om jag nu kan! sa hon blygsamt. Snusmumriken har så mycket fantasi. Han klarar det säkert bättre.

Nå, jag vet inte just, sa Snusmumriken smickrad. Men för att säga som sanningen är så tyckte jag från början att Smygande Vargen skulle vara väldigt stiligt.

Nä! ropade Mumintrollet, mamma väljer.

Ja, kära barn, sa Muminmamman. Bara ni inte tycker jag är fånig och gammaldags. Jag tänkte båten skulle heta nånting som påminner om allt vi ska göra med den

– och då tycker jag Äventyret skulle passa.

Fint! Fint! skrek Mumintrollet. Vi ska döpa den! Mamma! Har du nånting som liknar en champagne-flaska?

Muminmamman letade i alla sina korgar efter saft-flaskan.

O, så ledsamt! utbrast hon. Jag tycks ha glömt saften!

Men jag frågade ju om allting var med, sa Mumin-pappan.

De blev alldeles missmodiga. Att segla iväg med en båt som inte är ordentligt döpt kan betyda olycka!

Då fick Mumintrollet en strålande idé.

Ge mig kastrullerna, sa han. Och så fyllde Mumin-trollet kastrullerna med sjövatten och bar dem upp till grottan och Trollkarlens hatt.

När Mumintrollet kom tillbaka räckte han förvand-lingsvattnet åt sin pappa och sa: Smaka!

Muminpappan drack en klunk och såg nöjd ut.

Var har du fått tag i det här, min son? frågade han.

Hemligheter! sa Mumintrollet.

Så fyllde de en syltburk med förvandlingsvatten och slog sönder den mot segelbåtens förstäv medan Mumin-mamman med stolthet deklamerade:

Härmed döper jag dig för tid och detta (mumin-uttryck som användes vid dop) till Äventyret.

Alla hurrade, och så langade man ombord korgar, filtar, paraplyer, metspön, dynor, kastruller och bad-byxor, och muminfamiljen avseglade med sina vänner ut på det vilda, gröna havet.

Det var en fin dag. Kanske inte riktigt klar, för det låg ett lätt dis över solen. Äventyret spände sitt vita segel och sköt som en pil ut mot horisonten. Vågorna klappade mot båtens sidor och vinden sjöng och sjötroll och sjöfröknar dansade kring bogen.

Sniff hade bundit fast sina sex småbåtar i en rad efter varann och nu seglade hela flottan i kölvattnet. Mumintrollets pappa styrde och Muminmamman satt och småsov. Det var så sällan hon hade det såhär lugnt omkring sig. Över dem kretsade stora vita fåglar.

Vart ska vi fara? sa Snorken.

Låt oss fara till en ö! bad Snorkfröken. Jag har aldrig varit på en liten ö förr!

Då ska du få det nu, sa pappan. Första ö vi ser kliver vi iland på.

Mumintrollet satt längst fram i fören och tittade efter grund. Han stirrade förtrollad ner i det gröna djupet där Äventyrets bog skar fram med vita mustascher.

Jo-ho! ropade Mumintrollet hänförd. Vi far till en ö!

Långt ute i havet låg hatifnattarnas ensliga ö, omgiven av grynnor och bränningar. En gång om året samlades hatifnattarna där innan de åter drog ut på sina ändlösa strövtåg runt jorden. De kom farande från alla väderstreck, tysta och allvarliga med sina små vita, tomma ansikten. Varför de håller sitt årsmöte är svårt att säga, eftersom de varken kan höra eller tala och aldrig fäster sin blick på nånting annat än de fjärran mål de färdas mot.

Kanske tycker de i alla fall om att ha en plats där de är hemma och kan vila sig lite och träffa bekanta. Årsmötet är alltid i juni, och sålunda kom det sig att muminfamiljen och hatifnattarna anlände ungefär samtidigt till den ensliga ön. Vild och lockande höjde den sig ur havet, kransad och krönt som till fest med vita bränningar och gröna träd.

Land förut! skrek Mumintrollet.

Alla hängde över relingen och tittade.

Där finns en sandstrand! ropade Snorkfröken.

Och en fin hamn! sa Muminpappan och kryssade elegant in under land mellan grynnorna. Äventyret körde mjukt upp i sanden och Mumintrollet hoppade iland med fånglinan. Snart myllrade stranden av iver och verksamhet. Muminmamman släpade ihop stenar till en eldstad för att värma upp pannkakan, hon samlade ved och bredde ut bordduken i sanden med en liten sten i varje hörn för att den inte skulle blåsa bort. Hon radade ut alla kopparna och grävde ner smörburken i den våta sanden i skuggan av en sten och slutligen satte hon en bukett strandliljor mitt på bordet.

Kan vi hjälpa dig med nånting? frågade Mumintrollet när allt var färdigt.

Ni ska undersöka ön, svarade mamman (som visste att det var det de längtade efter). Det är viktigt att veta var man har hamnat. Här kan ju finnas farlighet.

Just det, sa Mumintrollet. Och så gav han sig av med snorksyskonen och Sniff utmed den södra stranden,

medan Snusmumriken som älskade att upptäcka saker ensam strövade iväg utmed den norra. Hemulen tog sin botaniseringsspade, sin gröna portör och förstoringsglaset med sig och vandrade rakt in i skogen. Han misstänkte att där kunde finnas underliga växter som ingen ännu hade upptäckt.

Men Mumintrollets pappa satte sig på en sten för att meta. Och solen kröp sakta mot eftermiddag medan en avlägsen molnbank tätnade över havet.

Mitt inne på ön låg en grön glänta med slätmark omgiven av blommande snår. Här hade hatifnattarna sin hemliga mötesplats där de samlades en gång om året vid midsommartiden. Ungefär trehundra av dem hade redan infunnit sig och man väntade omkring fyrahundrafemtio till. De tassade tysta omkring i gräset och bugade högtidligt för varann. Mitt i gläntan hade de rest upp en hög stolpe, och på den hängde en stor barometer.

Varje gång de gick förbi barometern bugade de sig djupt för den (det såg ganska lustigt ut).

Under tiden strövade Hemulen omkring i skogen, hänryckt över de sällsynta blommor som lyste överallt. De liknade inte Mumindalens blommor, de hade starkare och mörkare färger och egendomlig form.

Men Hemulen såg inte att de var vackra, han räknade ståndare och blad och mumlade för sig själv: Det här är det tvåhundranittonde numret i min samling!

Slutligen kom han fram till hatifnattarnas glänta och vandrade ut på den, ivrigt snokande i gräset. Hemulen tittade inte upp förrän han slog skallen i hatifnattarnas stolpe. Då såg han sig häpen omkring. Han hade aldrig i sitt liv sett så många hatifnattar på en gång. De myllrade överallt och allihop stirrade på honom med sina små bleka ögon. Jag undrar om de är argsinta, tänkte Hemulen oroligt. Små är de, men otäckt många!

Han tittade på den stora blanka barometern av mahogny. Den stod på regn och vind. Märkvärdigt, sa Hemulen och blinkade i solskenet. Och han knackade på barometern som föll ett bra stycke. Då prasslade hatifnattarna hotfullt och tog ett steg mot Hemulen.

För all del, sa Hemulen förskräckt. Inte ska jag ta er barometer!

Men hatifnattarna hörde honom inte. De närmade sig i led efter led, prasslande och viftande med tassarna. Hemulen fick hjärtat i vrångstrupen och såg sig om efter en möjlighet att klara sig. Fienden stod som en mur omkring honom och kom bara närmare. Och mellan trädstammarna vimlade nya hatifnattar fram, tysta och med orörliga ansikten.

Gå er väg! skrek Hemulen. Schas! Schas!

Men hatifnattarna kom ljudlöst närmare. Då samlade Hemulen ihop sina kjolar och började klättra upp i stolpen. Den var hal och otäck, men förskräckelsen gav honom ohemula krafter och slutligen satt han darrande på toppen och höll i barometern.

Hatifnattarna hade hunnit fram till stolpens fot. Där väntade de. Hela gläntan var täckt av dem som med en vit matta, och Hemulen mådde illa när han tänkte på vad som skulle hända om han ramlade ner.

Hjälp, skrek han med svag röst. Hjälp! Hjälp! Men skogen var tyst.

Då stack han två fingrar i munnen och visslade: tre korta signaler, tre långa, tre korta. Tre korta, tre långa, tre korta. SOS.

Snusmumriken som vandrade utmed den norra stranden hörde Hemulens nödsignal. När han hade fått riktningen klar för sig satte han av som ett skott till undsättning. Den avlägsna visslingen blev starkare. Nu är det alldeles i närheten, tänkte Snusmumriken och smög sig försiktigt framåt. Det ljusnade mellan träden. Han såg gläntan, hatifnattarna och Hemulen som klamrade sig fast vid stolpen. Det här var en värre historia, mumlade Snusmumriken. Så ropade han: Hej! Jag är här! Hur har du fått de hyggliga hatifnattarna så där argsinta?

Jag knackade bara på deras barometer, jämrade sig Hemulen. Den sjönk förresten. Försök få bort de otäcka krypen, snälla mumrik!

Jag måste tänka ett tag, sa Snusmumriken.

(Av det här samtalet hörde hatifnattarna ingenting för de har ju inga öron.)

Efter en stund ropade Hemulen:

Tänk fort, mumrik, för jag håller på att glida ner!

Hör på! sa Snusmumriken. Minns du den där gången när det hade kommit sorkar i trädgårdslandet? Muminpappan grävde ner en massa stolpar i marken och satte vindsnurror på dem. Och när snurrorna gick runt skakade det i marken så att sorkarna vart nervösa och gav sig av!

Dina historier är alltid mycket intressanta, sa Hemulen bittert. Men jag kan inte förstå vad de har med min sorgliga belägenhet att göra!

Åtskilligt, sa Snusmumriken. Förstår du inte? Hatifnattarna kan varken tala eller höra och ser väldigt dåligt. Men deras känsel är fin! Försök vippa stolpen fram och tillbaka med små knyckar! Hatifnattarna kommer säkert att känna det i marken och bli rädda. Det går rakt upp i magen på dem, ser du!

Hemulen försökte gunga fram och tillbaka på stolpen.

Jag ramlar ner! utbrast han ängsligt.

Fortare, fortare! ropade Snusmumriken. Små, små vickningar!

Hemulen vickade hit och dit, och om en stund började hatifnattarna känna sig otrevliga i fotsulorna. De prasslade starkare och rörde oroligt på sig. Och i ett nu flydde de hals över huvud, precis som sorkarna hade gjort.

På ett par ögonblick var gläntan tom. Snusmumriken kände hur hatifnattarna strök mot hans ben när de gav sig av in i skogen, och de brändes alldeles som nässlor.

Hemulen tappade taget av ren lättnad och ramlade ner i gräset.

O, mitt hjärta! jämrade han. Nu sitter det i halsen

igen. Det är aldrig annat än bråk och farlighet sen jag kom in i muminfamiljen!

Lugna dig nu, sa Snusmumriken. Du klarade dig ju fint!

Otäcka småkryp! grälade Hemulen. Deras barometer tar jag i alla fall med mig för att straffa dem!

Låt hellre bli, varnade Snusmumriken.

Men Hemulen hakade ner den stora glänsande barometern och stoppade den triumferande under armen.

Nu går vi tillbaka, sa han. Jag är alldeles förfärligt hungrig.

När Snusmumriken och Hemulen kom tillbaka satt alla de andra och åt gädda som Muminpappan hade dragit upp ur sjön.

Hej! ropade Mumintrollet. Vi har gått runt hela ön! Och på utsidan finns det hemska vilda klippor som går rakt ner i havet.

Och vi har sett en massa hatifnattar, berättade Sniff. Allra minst hundra!

Tala inte om dem, sa Hemulen med känsla. Jag tål inte vid det just nu. Men här ska ni få se min krigstrofé!

Och Hemulen placerade stolt sin barometer mitt på matbordet.

O, så blank och vacker! utropade Snorkfröken. Är det en klocka?

Nej, det är en barometer, sa Muminpappan. På den ser man om det blir vackert väder eller storm. Ibland visar den alldeles riktigt!

Han knackade på barometern och lade ansiktet i allvarliga veck.

Det *blir* storm! sa han.

En stor storm? frågade Sniff ängsligt.

Titta själv, sa Muminpappan. Barometern står på oo och det är det lägsta en barometer kan stå på. Ifall den inte skojar med oss.

Men det såg verkligen ut som om den inte skojade. Diset hade tätnat till ett gulgrått töcken, och ute vid horisonten var havet underligt svart.

Vi måste fara hem, sa Snorken.

Inte än! bad Snorkfröken. Vi har inte hunnit utforska klipporna på utsidan ordentligt! Vi har inte ens badat!

Vi kan väl vänta lite och se vad det blir, sa Mumintrollet. Det vore så snopet att fara hem just när vi har upptäckt den här ön!

Men om det blir storm kan vi inte alls fara, sa Snorken förståndigt.

Det vore det bästa! utbrast Sniff. Vi stannar här för alltid!

Tyst ungar, jag måste fundera, sa Mumintrollets pappa. Han gick ner till stranden och vädrade i luften, vred på huvudet åt alla håll och rynkade pannan.

Det mullrade i fjärran.

Åska! sa Sniff. Hu, så hemskt!

Över horisonten steg en hotfull molnvägg. Den var mörkblå och drev små ljusa molntussar framför sig. Då och då flammade ett svagt ljussken över havet.

Vi stannar! avgjorde pappan.

Hela natten! skrek Sniff.

Jag tror det, sa Muminpappan. Skynda er nu att bygga ett hus, för regnet är snart här!

Äventyret drogs högt upp i sanden och i skogsbrynet gjorde man med stor fart ett hus av seglet och filtarna. Muminmamman tätade sidorna med mossa och Snorken grävde ett dike runtomkring för att regnvattnet skulle ha nånting att rinna ner i. Alla sprang fram och tillbaka och räddade sina saker under tak. Nu gick en liten vind genom träden som susade ängsligt. Åskan mullrade närmare.

Jag går och tittar på vädret ute på udden, sa Snusmumriken. Han drog stadigt ner hatten över öronen och gav sig av. Ensam och lycklig tassade Snusmumriken ut på den ytterska udden och ställde sig med ryggen mot en stor sten.

Havet hade förändrat ansiktsuttryck. Det var svartgrönt nu och gick med skum på topparna och grynnorna lyste gula som fosfor. Högtidligt mullrande tågade åskvädret upp från söder. Det spände sina svarta segel över havet, det växte över halva himlen och blixtarna flämtade olycksbådande.

Det kommer rakt över ön, tänkte Snusmumriken med en ilning av fröjd och spänning. Han såg rätt in i ovädret där det vandrade fram över havet. Och plötsligt såg Snusmumriken en liten svart ryttare på en svart häst.

De syntes bara ett ögonblick mot molnväggens kritvita kam, ryttarens kappa flög ut som en vinge, de steg högre... Så var de försvunna i en bländande svärm av blixtar, solen var borta och regnet kom farande som en grå gardin över sjön. Jag har sett Trollkarlen! tänkte Snusmumriken. Det måste ha varit Trollkarlen och hans svarta panter! De finns verkligen, de är inte bara en gammal saga...

Snusmumriken vände och skuttade tillbaka över stranden. Det var nätt och jämnt han klarade sig in i tältet. Tunga droppar slog redan i segelduken som smällde i stormen. Fast det var flera timmar kvar till kvällen sveptes hela världen i mörker. Sniff hade rullat in sig hel och hållen i en filt för han var rädd för åskan. De andra satt hopkrupna bredvid varandra. Tältet doftade starkt av Hemulens blommor. Nu brakade åskan helt nära. Gång på gång fylldes deras gömställe av blixtarnas vita ljus. Dånande drog åskvädret sina järnvagnar runt himlen, och havet kastade i raseri sina största vågor mot den ensliga ön.

Tack och lov att vi inte är på sjön, sa Muminmamman. Voj, voj, ett sånt väder.

Snorkfröken stack darrande sin tass i Mumintrollets, och han kände sig mycket beskyddande och manlig.

Sniff låg under filten och skrek.

Nu är det rakt över oss! sa Muminpappan.

I detsamma rann en väsande jätteblixt ner över ön, åtföljd av ett smattrande brak.

Den där slog ner! sa Snorken.

Det *var* verkligen lite väl hemskt. Hemulen satt och höll sig om huvudet.

Bråk! Alltid bråk! mumlade han.

Nu drog åskvädret söderut. Mer och mer avlägset hördes dundret, blixtarna blev svagare. Till slut prasslade bara regnet omkring dem och havet dånade kring stränderna.

Jag ska inte berätta om Trollkarlen än, tänkte Snusmumriken. De är tillräckligt rädda ändå.

Kom ut, Sniff, sa han. Det är över.

Sniff trasslade sig blinkande ut ur filtarna. Han var lite generad för att han hade skrikit så förskräckligt och gäspade och kliade sig bakom örat.

Vad är klockan? frågade han.

Snart åtta, sa Snorken.

Då tror jag vi går och lägger oss, sa Mumintrollets mamma. Det här har varit bra upprörande.

Men vore det inte spännande att undersöka var blixten slog ner? sa Mumintrollet.

I morgon! sa hans mamma. I morgon ska vi undersöka allting och simma i havet. Nu är ön bara våt och grå och otrevlig.

Och så stoppade hon filtarna om dem och somnade med sin väska under kudden.

Därute ökade stormen. Underliga ljud gled in i vågornas dån. Röster och springande fötter, skratt och klang av stora klockor ute till havs. Snusmumriken låg stilla och lyssnade och drömde och mindes sina färder runt jorden. Snart måste jag ge mig av igen, tänkte han. Men inte än.

Fjärde kapitlet

vari Snorkfröken blir skallig vid hatifnattarnas nattliga överfall, och vari berättas om de högst märkliga strandfynd man gjorde på den ensliga ön.

Mitt i natten vaknade Snorkfröken med en hemsk känsla. Nånting hade rört vid hennes ansikte. Hon vågade inte titta upp men vädrade oroligt omkring sig. Det luktade bränt! Snorkfröken drog filten över huvudet och ropade halvhögt: Mumintroll, Mumintroll!

Mumintrollet vaknade genast. Vad är det? frågade han.

Det har kommit in nånting farligt! sa Snorkfröken under filten. Jag *känner* att här finns nånting farligt!

Mumintrollet stirrade ut i mörkret. Där var nånting! Små ljus... Blekt lysande skepnader som tassade fram och tillbaka mellan de sovande. Mumintrollet ruskade Snusmumriken vaken.

Ser du! viskade han förfärad. Spöken!

Nej, sa Snusmumriken. Det är hatifnattarna. Åskvädret har gjort dem elektriska, det är därför de lyser. Håll dig alldeles stilla, annars kan du få en elektrisk stöt!

Hatifnattarna tycktes leta efter nånting. De snokade överallt i korgarna och den brända lukten blev starkare. Plötsligt samlade de sig allesammans i hörnet där Hemulen sov.

Tror du de vill åt honom? frågade Mumintrollet upprörd.

De letar nog bara efter barometern, sa Snusmumriken. Jag varnade honom för att ta den med sig. Nu har de hittat den!

Med förenade ansträngningar släpade hatifnattarna fram barometern. De klev upp på Hemulen för att få bättre tag i den, och nu osade det bränt lång väg.

Sniff vaknade och började gnälla.

I detsamma fylldes tältet av ett vrål. En hatifnatt hade trampat Hemulen på nosen.

I ett nu var alla vakna och på fötterna. En obeskrivlig oreda utbröt. Ängsliga frågor blandades med klagotjut när nån hade trampat på hatifnattarna och bränt sig eller fått en elektrisk stöt. Hemulen rusade omkring och skrek av förskräckelse, och rätt vad det var hade han trasslat in sig i seglet och tältet störtade omkull över dem. Det var alldeles förfärligt.

Sniff påstod efteråt att det hade räckt minst en timme innan de hittade ut ur seglet (möjligen överdrev han en aning).

Men när de äntligen befriat sig från det hade hatifnattarna försvunnit i skogen med barometern. Och det var ingen som hade lust att förfölja dem.

Hemulen körde under hög jämmer ner sin nos i den våta sanden. Nu går det för långt! sa han. Varför kan inte en stackars oskyldig botanist få leva sitt liv i frid och ro!

Livet är inte fridfullt, sa Snusmumriken förtjust.

Det har slutat regna, sa Muminpappan. Ser ni, ungar, himlen är klar! Snart börjar det ljusna.

Mumintrollets mamma stod och småfrös och höll hårt i sin väska. Hon tittade ut över det stormande, nattliga havet. Ska vi göra ett nytt hus och försöka somna igen? frågade hon.

Det lönar sig inte, sa Mumintrollet. Vi sveper in oss i filtarna och väntar tills solen går upp.

Så satte de sig i en rad på stranden, tätt bredvid varandra. Sniff ville sitta i mitten för han tyckte det var säkrast.

Ni kan inte tro så hemskt det var när nånting rörde vid mitt ansikte i mörkret, sa Snorkfröken. Det var värre än åskvädret!

De satt och tittade ut över havet i den ljusnande natten. Stormen hade lugnat sig lite men ännu rullade bränningar dånande in över sanden. Himlen började blekna

i öster och det var mycket kallt. Och då, i den första gryningen, såg de hatifnattarna ge sig av från ön. Båt efter båt gled de som skuggor fram bakom udden och styrde ut mot havet.

Skönt! sa Hemulen. Hoppeligen behöver jag aldrig mer se en hatifnatt.

De söker nog upp en ny ö åt sig, sa Snusmumriken. En hemlig ö dit ingen nånsin hittar! Och han följde med längtans blickar de små världsvandrarnas lätta farkoster.

Snorkfröken sov med huvudet i Mumintrollets knä. Nu syntes den första ljusstrimman vid den östra horisonten. Några molntappar som stormen glömt kvar blev skära som rosor och så lyfte solen sitt glänsande huvud ur havet.

Mumintrollet böjde sig ner för att väcka Snorkfröken och då upptäckte han nånting förskräckligt. Hennes vackra pannludd var avbränt! Det måste ha hänt när hatifnatten strök emot henne. Vad skulle hon säga, hur skulle han kunna lugna och trösta henne! Det var en katastrof!

Snorkfröken slog upp ögonen och smålog.

Vet du vad, sa Mumintrollet hastigt. Det är bra lustigt med mig. Jag har med tiden kommit att tycka mycket mer om fröknar utan hår än om dem som har ett!

Jaså! sa Snorkfröken förvånad. Varför det?

Det ser så slarvigt ut med hår! sa Mumintrollet.

Snorkfröken lyfte genast tassarna för att kamma sig – men ack! det enda hon fick tag i var en liten avbränd tott! Hon stirrade på den i djup fasa.

Du har blivit skallig, sa Sniff.

Det klär dig verkligen, tröstade Mumintrollet. O nej, gråt inte!

Men Snorkfröken kastade sig ner på sanden och grät strida tårar över förlusten av sitt främsta behag.

Alla samlade sig omkring henne och försökte få henne glad igen. Förgäves!

Ser du, jag är född skallig, sa Hemulen. Och jag trivs faktiskt riktigt bra med det!

Vi ska gno in dig med olja så växer det nog ut igen, sa Mumintrollets pappa.

Och då blir det lockigt! sa Muminmamman.

Är det sant, det? hickade Snorkfröken.

Om det är sant! försäkrade mamman. Ja, tänk så söt du blir med lockigt hår!

Snorkfröken slutade gråta och satte sig upp.

Titta på solen, sa Snusmumriken.

Nybadad och fin höjde hon sig ur havet. Hela ön glittrade och sken efter regnet.

Nu spelar jag en morgonvisa, sa Snusmumriken och tog fram sin munharmonika. Och man sjöng med stor kraft:

> Bort drog natten
> solen steg!
> Hatifnatten
> for sin väg!
> Var inte dyster
> för igår!
> Snorkens syster
> får lockigt hår!
> Jo-ho!

Upp och bada! ropade Mumintrollet.

Och allihop drog badbyxorna på sig och störtade ut i bränningen (utom Hemulen och Mumintrollets pappa och mamma som tyckte det var för kallt än).

Glasgröna och vita rullade vågorna in över sanden.

O, att vara ett nyvaket Mumintroll och dansa i glasgröna vågor medan solen går upp!

Natten var glömd och en ny lång junidag låg framför dem. Som tumlare körde de rakt genom vågorna och seglade på deras krön in mot stranden där Sniff lekte i grundvattnet. Snusmumriken flöt på rygg längre ut och tittade upp i himlen som var blå och genomskinlig.

Under tiden kokade Mumintrollets mamma kaffe bland stenarna och letade efter smörkoppen som hon hade gömt för solskenet i strandvattnet. Men hon letade förgäves, stormen hade tagit den med sig.

Vad ska jag ge dem på smörgåsarna? klagade mamman.

Du ska få se att stormen ger oss nånting annat istället, sa Muminpappan. Efter kaffet ska vi göra en upptäcktsvandring utmed stränderna och se vad havet har slängt iland!

Och det gjorde de.

På utsidan av ön höjde urberget sina blankslipade ryggar ur sjön. Mellan dem kunde man oförmodat finna små flikar av snäckbesållad sand, sjöfröknarnas undangömda dansgolv, eller svarta, hemlighetsfulla klyftor där bränningen dånade som slag på en järndörr. Ibland öppnade sig en liten grotta mellan klipporna, ibland stupade de brant ner mot en rund balja av fräsande vattenvirvlar. Var och en gav sig av på egen hand för att söka strandfynd och vrakgods.

Det var mer spännande än nånting annat för man kunde hitta de underligaste ting och det var ofta ganska svårt och farligt att rädda dem undan havet.

Mumintrollets mamma klättrade ner till en liten sandfläck som låg skymd av väldiga klippblock. I sanden växte klungor av blå havsnejlikor och strandhavre som rasslade och visslade när vinden trängde in i de smala rören. Muminmamman lade sig ner i lä för stormen. Här nere såg hon bara den blåa himlen och havsnejlikorna som gungade över hennes huvud. Jag vilar mig bara en liten stund, tänkte hon. Men snart sov mamman djupt i den varma sanden.

Men Snorken sprang upp på det högsta berget och tittade sig omkring. Han kunde se från strand till strand och ön tycktes honom flyta som en bukett i det oroliga havet. Där såg han Sniff som en liten prick gå och leta efter vrakgods, där skymtade Snusmumrikens hatt – där grävde Hemulen upp en sällsynt orkidé... Och där! Det var absolut där blixten hade slagit ner! Ett väldigt klippblock, större än tio muminhus, hade kluvits som ett äpple av blixten och de båda halvorna hade störtat åt sidorna och öppnat en lodrät klyfta mellan sig. Snorken klev bävande in i rämnan och tittade upp mot de mörka klippväggarna. Där hade blixten gått! Svart som kol tecknade sig dess kurva i stenens blottade inre. Men bredvid den löpte en annan strimma som var ljus och lysande! Det var guld, det kunde inte vara nånting annat än guld!

Snorken petade i strimman med sin slidkniv. Ett litet guldkorn lossnade och föll ner i hans tass. Han pillrade

lös det ena stycket efter det andra. Han blev het av iver och bröt ut större och större bitar. Och om en stund hade Snorken glömt allt annat utom de strålande guldådror som blixten bragt i dagen. Han var inte strandrövare längre, han var guldgrävare!

Under tiden hade Sniff gjort ett helt enkelt fynd men det gjorde honom minst lika glad. Han hade hittat ett korkbälte. Det var lite murket av sjövattnet men det passade honom precis. Nu kan jag ge mig av på djupt vatten! tänkte Sniff. Nu kommer jag säkert att lära mig simma lika bra som de andra. Vad Mumintrollet ska bli förvånad.

Ett stycke längre bort, bland näver, nätflöten och tång upptäckte han en bastmatta och ett nästan helt öskar och en gammal känga utan klack. Underbara skatter när man har rövat dem från havet!

På långt håll fick Sniff syn på Mumintrollet som stod ute i vattnet och drog och stretade i nånting. Nånting stort! Elände att jag inte fick syn på det först! tänkte Sniff. Vad i all världen kan det vara!

Nu hade Mumintrollet räddat sitt strandfynd och rullade det framför sig över sanden. Sniff sträckte och sträckte på halsen – och så såg han vad det var. En boj! En stor grann boj!

Jo-ho! ropade Mumintrollet. Vad säger du nu!

Den är ganska bra, sa Sniff kritiskt med huvudet på sned. Men vad tycker du om det här?

Och han radade upp sina fynd på sanden.

Korkbältet är bra, sa Mumintrollet. Men vad gör man med ett halvt öskar?

Det går nog om man öser kvickt, sa Sniff. Hör på! Vad säger du om en byteshandel? Både bastmattan, öskaret och kängan mot den där gamla bojen?

Aldrig i livet, sa Mumintrollet. Men möjligen korkdynan mot den här mystiska talismanen som har flutit hit från ett fjärran land.

Och han drog fram en underlig tingest av ihåligt glas och skakade på den. Då virvlade en massa snöflingor upp inne i glasbollen och lade sig åter till ro över ett litet hus med fönster av silverpapper.

O, sa Sniff. Och en häftig kamp utspelades i hans hjärta som älskade ägodelar alldeles för mycket.

Titta! sa Mumintrollet och skakade upp snön igen.

Jag vet inte, utbrast Sniff förtvivlad, jag vet verkligen inte vad jag tycker mer om, livbältet eller vintertalismanen! Mitt hjärta går itu!

Det är säkert den enda snötalisman som finns på jorden just nu, sa Mumintrollet.

Men jag *kan* inte avstå från simbältet! jämrade sig Sniff. Snälla mumintroll, kan vi inte dela det lilla snövädret!

Hm, sa Mumintrollet.

Jag kan väl bara få hålla i den ibland, bad Sniff. Om söndagarna?

Mumintrollet funderade lite. Så sa han:

Jo. Du kan få ha den söndagar och onsdagar.

Långt därifrån vandrade Snusmumriken. Han gick så nära de fräsande vågorna han kunde, och när de nafsade efter hans kängor hoppade han undan och skrattade. Det var ganska retsamt för dem!

En bit från udden träffade Snusmumriken på Mumintrollets pappa som höll på att bärga stockstumpar och plank.

Fint, vad? pustade Muminpappan. Av det här ska jag bygga en brygga för Äventyret!

Ska jag hjälpa till att dra upp dem? frågade Snusmumriken.

Nej då! sa Muminpappan förskräckt. Det klarar jag ensam. Försök hitta nånting eget att dra upp!

Här fanns mycket att rädda ur havet men ingenting som Snusmumriken brydde sig om. Små tunnor, en halv stol, en korg utan botten och ett strykbräde. Tunga, besvärliga saker.

Snusmumriken stack tassarna i fickorna och visslade. Han hoppade undan för vågorna och så sprang han efter dem och retades. Och när de ville ta honom hoppade han undan igen. Utmed hela den långa, ensliga sandstranden.

Men ute på udden klättrade Snorkfröken omkring bland klipporna. Hon hade dolt sitt avbrända pannludd under en krans av havsliljor och letade efter ett strandfynd som skulle förvåna alla de andra och göra dem avundsjuka. Och när de hade beundrat det skulle hon ge det åt Mumintrollet (ifall det inte hade nånting med smycken att göra, förstås). Det var besvärligt att klättra bland stenarna och kransen höll hela tiden på att blåsa av henne. I alla fall stormade det mindre nu. Havet hade bytt ut sina arga grönfräsande färger mot lugna blå och vågorna bar sina skumkrön mera som en prydnad än som ett hot. Snorkfröken kravlade sig ner på en smal grusbädd som kantade vattenbrynet. Men där fanns ingenting annat än lite tång och vass och några plankstumpar. Missmodig strövade hon vidare mot udden. Det är sorgligt att de andra alltid åstadkommer så mycket men inte jag, funderade Snorkfröken för sig själv. De jumpar på isflak och dämmer upp bäckar och fångar Myrlejon. Jag skulle vilja göra nånting oerhört, alldeles ensam för mig själv och imponera på Mumintrollet.

Suckande blickade hon ut över den öde stranden. Och då stannade hon plötsligt och hennes hjärta började dunka. Längst ute på udden... O, nej, det var för hemskt! Nån låg och skvalpade mot strandstenarna med huvudet under vattnet! Och nån var förfärligt stor, tio gånger så stor som den lilla snorkfröken!

Jag springer genast efter de andra, tänkte hon. Men hon sprang inte.

Nu får du inte vara rädd igen! sa Snorkfröken åt sig själv. Du måste titta efter vem det är! Och darrande närmade hon sig det hemska. Det var en stor fru...

En stor fru utan ben... så förskräckligt! Snorkfröken tog några bävande steg och stannade i den största häp-

nad. Den stora frun var gjord av trä! Och hon var underbart vacker. Genom det klara vattnet lyste hennes lugna, leende ansikte med röda kinder och läppar och de runda blå ögonen var vidöppna. Också håret var blått, det ringlade sig i långa målade lockar över axlarna. Det är en drottning, sa Snorkfröken andäktigt. Den vackra damens händer låg korslagda över bröstet som lyste av guldblommor och kedjor, och från den smala midjan flöt klänningen i mjuka, röda veck. Och alltihop var av målat trä. Det enda konstiga var att hon inte hade nån rygg.

Hon är nästan en för fin present för Mumintrollet, funderade Snorkfröken. Men han ska få henne i alla fall!

Det var en stolt Snorkfröken som på kvällssidan paddlade in i båtviken, sittande på trädrottningens mage.

Har *du* hittat en båt? sa Snorken.

Tänk att du kunde få hit den alldeles ensam, beundrade Mumintrollet.

Det är en galjonsbild! sa Muminpappan som hade varit till sjöss i sin ungdom. Sjömännen brukar pryda fartygets stäv med en vacker drottning av trä.

Varför det? frågade Sniff.

För att vara riktigt fina, sa pappan.

Men varför har hon ingen rygg? undrade Hemulen.

Det är där hon sitter fast i stäven förstås, sa Snorken. Det kan ju en nyfödd musunge begripa!

Hon är för stor att spikas fast på Äventyret, sa Snusmumriken. Så hemskt synd!

O, den vackra damen! suckade Mumintrollets mamma. Tänk, att vara så skön och inte ha nån glädje av det!

Vad tänker du göra med den? frågade Sniff.

Snorkfröken slog ner ögonen och smålog. Sen sa hon: Jag tänker ge den åt Mumintrollet.

Mumintrollet kunde inte få fram ett ord. Alldeles röd i ansiktet klev han fram och bockade sig. Snorkfröken neg förvirrad och det hela såg ut som om de hade varit på bjudning.

Syster, sa Snorken. Du har inte sett vad *jag* har hittat!

Och han pekade stolt på en stor lysande guldhög som låg i sanden.

Snorkfrökens ögon stod på skaft.

Äkta guld! andades hon.

Det finns mycket, mycket mera! skröt Snorken. Ett berg av guld!

Och jag får plocka upp allt som ramlar ner av sig självt och ha det som mitt eget, sa Sniff.

O, vad man beundrade varandras fynd där på stranden! Muminfamiljen hade plötsligt blivit rik. Men det dyrbaraste var ändå galjonsbilden och det lilla snövädret inne i glaskulan.

Det var en tungt lastad segelbåt som slutligen styrde bort från den ensliga ön i stormens efterdyningar. Efter den flöt en stor flotte av stock och plank och lasten bestod av guld och en vintertalisman, av en stor grann boj, en känga, ett halvt öskar, ett livbälte och en bastmatta, och i fören låg galjonsbilden och blickade ut över havet. Bredvid henne satt Mumintrollet och höll sin tass på hennes vackra blåa hår. Han var så lycklig!

Snorkfröken tittade på dem ibland.

Ack, om jag vore lika vacker som trädrottningen, tänkte hon. Nu har jag inte ens mitt pannludd kvar... Hon kände sig inte lika glad som nyss. Nej, hon var nästan sorgsen.

Tycker du om trädrottningen? frågade hon.

Mycket! svarade Mumintrollet utan att se upp.

Men du sa ju att du inte gillar fröknar med hår, sa Snorkfröken. Förresten är hon bara målad!

Men så vackert målad! sa Mumintrollet.

Snorkfröken var dyster. Hon stirrade ner i havet med gråten i halsen och blev långsamt grå.

Trädrottningen ser dum ut! sa hon argt.

Då tittade Mumintrollet upp.

Varför är du grå? frågade han förvånad.

För inget särskilt! sa Snorkfröken.

Då klev Mumintrollet ner ur fören och satte sig bredvid henne.

Vet du vad? sa han om en stund. Trädrottningen ser faktiskt väldigt dum ut!

Ja, inte sant! sa Snorkfröken och blev skär igen.

Solen sjönk långsamt mot aftonen och de långa blanka dyningarna färgades i gult och guld. Allt blev gult och guld, seglet, båten, och de som satt i den.

Minns du guldfjärilen vi såg? sa Mumintrollet.

Snorkfröken nickade, trött och lycklig.

Långt borta låg den ensliga ön och flammade i solnedgången.

Jag undrar vad ni tänker göra med Snorkens guld? sa Snusmumriken.

Vi ska lägga det som prydnad runt rabatterna, sa Mumintrollets mamma. De större bitarna förstås, för de små ser så skräpiga ut.

Sen var alla tysta och satt och tittade på hur solen dök ner i havet och färgerna bleknade till blått och violett medan Äventyret sakta gungade hemåt.

Femte kapitlet

i vilket talas om Kungsrubinen, om Snorkens långrevs-
fiske och Mamelukens död, samt om hur muminhuset för-
vandlades till en djungel.

Det var nångång i slutet av juli och väldigt hett i Mu-
mindalen. Inte ens flugorna orkade surra. Träden verka-
de trötta och dammiga, floden sinade och flöt smal och
brun genom slokande ängar. Vattnet dög inte längre att
göra saft av i Trollkarlens hatt (som tagits till nåder och
stod på byrån under spegeln).

Dag efter dag sken solen rakt ner i dalen som låg
gömd mellan kullarna. Alla småkryp kravlade in i sina
svala jordgångar och fåglarna teg. Men Mumintrollets
vänner blev nervösa av värmen och gick omkring och
grälade med varandra.

Mamma, sa Mumintrollet, hitta på nånting åt oss att
göra! Vi bara grälar och det är så hett!

Ja, kära barn, sa Muminmamman. Jag har märkt det.
Jag skulle kanske gärna vara av med er ett slag. Kan ni
inte flytta till grottan ett par dar? Där är svalare och ni
kan ligga i sjön och lugna er hela dagen om ni vill.

Får vi sova i grottan också? frågade Mumintrollet
förtjust.

Javisst! sa mamman. Och kom inte hem förrän ni är
glada.

Det var mycket spännande att bosätta sig i grottan på

allvar. Mitt på sandgolvet ställde de petroleumlampan. Var och en grävde en grop som passade hans speciella form och sovställning och bäddade åt sig där. Provianten delades i sex lika stora högar. Det fanns russinpudding och pumpmos, bananer, polkagrisar och majskolvar och dessutom en pannkaka till frukost nästa dag.

En liten vind blåste upp mot kvällen och flög ensligt över havsstranden. Solen gick ner i rött och fyllde grottan med sitt varma ljus. Snusmumriken spelade skymningssånger och Snorkfröken låg med sitt lockiga huvud i Mumintrollets knä.

Alla kände sig välvilliga efter russinpuddingen och det var just lagom kusligt att se skymningen komma krypande över havet.

Det var jag som hittade grottan en gång, sa Sniff.

Och ingen brydde sig om att säga att det hade de hört hundra gånger förut.

Vågar ni höra nånting hemskt? frågade Snusmumriken och tände lampan.

Hur hemskt? undrade Hemulen.

Ungefär som härifrån till dörren eller lite längre, sa Snusmumriken. Om det säger dig nånting.

Nej, tvärtom, sa Hemulen. Berätta på, så säger jag till när jag blir rädd.

Bra, sa Snusmumriken. (Nu ska ni få höra en historia som en gafsa berättade för mig när jag var liten.) Vid världens ände ligger ett svindlande högt berg. Det är svart som sot och slätt som siden. Det stupar brant ner där ingen botten finns och molnen seglar runt omkring det. Men högst uppe på spetsen ligger Trollkarlens hus och det ser ut såhär. Och Snusmumriken ritade av huset i sanden.

Har det inga fönster? frågade Sniff.

Nej, sa Snusmumriken. Ingen dörr heller, för Trollkarlen kommer alltid hem genom luften ridande på en svart panter. Han är ute och far om nätterna och samlar rubiner i sin kappa.

Vad säger du! ropade Sniff med öronen på skaft. Rubiner! Hur får han tag i dem?

Trollkarlen kan förvandla sig till vad som helst, sa Snusmumriken. Och sen kan han krypa in i jorden och ända ner på havsbotten där de dolda skatterna ligger.

Vad gör han med så mycket ädelstenar? frågade Sniff avundsjukt.

Ingenting. Han bara samlar dem, sa Snusmumriken. Ungefär som Hemulen samlar växter.

Sa du nånting? utbrast Hemulen och vaknade upp i sin sandgrop.

Jag berättade att Trollkarlen har hela huset fullt med rubiner, sa Snusmumriken. De ligger i väldiga högar mot murarna och är infattade i väggarna som vilddjursögon. Trollkarlens hus har inget tak och molnen som flyger över det är röda som blod av rubinernas återsken. Hans egna ögon är också röda och lyser i mörkret.

Nu blir jag snart rädd, sa Hemulen. Berätta försiktigt, är du snäll!

Så lycklig han måste vara, den där Trollkarlen, suckade Sniff.

Det är han inte alls, sa Snusmumriken. Inte förrän han har hittat Kungsrubinen. Den är nästan lika stor som svarta panterns huvud och att titta in i den är som att se flytande eld. Trollkarlen har letat efter Kungsrubinen på alla planeterna, till och med på Neptunus – men han hittade den inte. Han har gett sig av till månen för att söka i kratrarna men han har inte stort hopp om att lyckas. För innerst inne tror Trollkarlen att Kungsrubinen finns på solen. Och dit kan han inte komma. Han har försökt flera gånger men det är för hett. Och det här är vad Gafsan berättade för mig.

Det var en bra historia, sa Snorken. Ge mig en polkagris till.

Snusmumriken var tyst en stund. Sen sa han:

Det var ingen historia. Alltihop är sant.

Jag har hela tiden trott att det var sant, utbrast Sniff. Det där med ädelstenarna låter så riktigt!

Och hur kan man veta att Trollkarlen finns? frågade Snorken misstroget.

Jag såg honom, sa Snusmumriken och tände sin pipa. Jag såg Trollkarlen och hans panter på hatifnattarnas ö. De red genom luften mitt i åskvädret.

Men du sa ingenting! utbrast Mumintrollet.

Snusmumriken ryckte på axlarna. Jag tycker om att ha hemligheter, sa han. Förresten, den där Gafsan berättade att Trollkarlen är klädd i en hög svart hatt.

Det menar du inte! skrek Mumintrollet.

Det måste vara den! ropade Snorkfröken.

Faktiskt, sa Snorken.

Vad då? undrade Hemulen. Vad menar ni?

Hatten förstås, sa Sniff. Den höga svarta hatten jag hittade i våras! Trollhatten! Den måste ha blåst av honom när han flög till månen!

Snusmumriken nickade.

Men tänk om Trollkarlen kommer tillbaka för att hämta sin hatt, sa Snorkfröken upprörd. Jag skulle aldrig våga titta på hans röda ögon!

Han är nog kvar uppe på månen, sa Mumintrollet. Är det lång väg dit?

Ganska, sa Snusmumriken. Förresten tar det nog tid för honom att leta igenom alla kratrarna.

Det blev en stunds orolig tystnad. Alla tänkte på den svarta hatten som stod därhemma på byrån under spegeln.

Skruva upp lampan lite, sa Sniff.

Hörde ni nånting? viskade Snorkfröken. Därute...

De stirrade mot grottans svarta mynning och lyssnade. Små, små, lätta ljud – kanske en panters tassande steg?

Det är regn, sa Mumintrollet. Regnet har kommit. Nu ska vi sova lite.

Och de kröp ner i varsin sandgrop och svepte filtarna om sig. Mumintrollet släckte lampan, och vid regnets lätta prassel gled han in i sömn.

Hemulen vaknade av att hans sovgrop var full med vatten. Det varma sommarregnet viskade utanför grottan, det rann i små bäckar och vattenfall över väggarna, och allt vatten som fanns både utanför och innanför hade runnit ner i just hans sovgrop.

Elände, elände, sa Hemulen för sig själv. Sen vred han ur sin klänning och gick ut för att titta på vädret. Det var likadant överallt, grått och vått och eländigt. Hemulen kände efter om han hade nån badlust, men han hade ingen.

Det är aldrig nån ordning i världen, tänkte Hemulen sorgset. I går var det för hett och nu är det för vått. Jag går in och lägger mig igen.

Snorkens sovgrop såg mest torr ut.

Maka på dig, sa Hemulen. Det har regnat in i min säng.

Värst för dig själv, sa Snorken och vände sig på andra sidan.

Därför tänkte jag sova i din grop, förklarade Hemulen. Var inte snorkig nu.

Men Snorken bara morrade lite och sov vidare. Då fylldes Hemulens hjärta av hämndlust och han grävde en kanal i sanden mellan sin egen sovgrop och Snorkens.

Det där var ohemult, sa Snorken och satte sig upp i sin våta filt. Men aldrig hade jag trott att du kunde hitta på nånting så fiffigt!

Det kom av sig själv! sa Hemulen glad. Och vad ska vi göra idag då?

Snorken stack ut nosen genom grottöppningen och tittade på himlen och på sjön. Sen sa han med sakkunskap: Fiska. Väck upp huset så går jag och gör båten i ordning!

Och Snorken vandrade ner på den våta sanden och ut på bryggan som Mumintrollets pappa hade byggt. Han vädrade mot havet en stund. Det var blickstilla, regnet föll sakta och varje droppe gjorde en fin ring i det blanka vattnet. Snorken nickade för sig själv och tog ut den största långrevslådan ur båthuset. Sen halade han fram sumpen under bryggan och satte sig att beta på revarna medan han visslade Snusmumrikens jaktsång.

Hela lådan var klar när de andra kom ut ur grottan.

Så, där är ni äntligen, sa Snorken. Hemul, ta ner masten och sätt i årklykorna.

Måste vi fiska? frågade hans syster. Det händer aldrig

nånting när man fiskar och det är så synd om de små gäddorna.

Ja men i dag kommer det att hända, sa Snorken. Sätt dig i fören så är du minst i vägen.

Låt mig hjälpa till, skrek Sniff och högg tag i långrevslådan. Han tog ett skutt ner på sudkanten, båten vippade till och långrevslådan lade sig upp och ned på durken med hälften av sitt innehåll intrasslat i årklykan och ankaret.

Utmärkt, sa Snorken. Alldeles utmärkt. Sjövan, lugn i båtar och allt det där. Aktning för andras arbete, framför allt. Ha.

Ska du inte gräla på honom? undrade Hemulen förvånad.

Gräla? Jag? sa Snorken och skrattade dystert. Har kaptener nånting att säga till om? Aldrig. Lägg ni ut lådan som den är, alltid fastnar där nånting. Och Snorken kröp in under akterbrädan och drog en presenning över huvudet.

Det var det värsta, sa Mumintrollet. Ta årorna, mumrik, så ska vi reda ut eländet. Sniff, du är en åsna.

Javisst, sa Sniff tacksamt. I vilken ända ska vi börja?

På mitten, sa Mumintrollet. Men trassla inte in svansen i det också.

Och Snusmumriken rodde långsamt Äventyret ut på havet.

Medan allt detta hände gick Mumintrollets mamma omkring i sitt hus och kände sig oerhört nöjd. Regnet prasslade milt över trädgården. Frid, ordning och tystnad härskade överallt.

Så det ska växa! sa Muminmamman till sig själv. Och o, så skönt att ha dem i grottan! Hon fick för sig att hon skulle städa lite och började samla ihop strumpor, apelsinskal, underliga stenar, barkbitar och mera sådant. I speldosan hittade hon några kryptogamer som Hemulen hade glömt att lägga i växtpressen. Mamman snurrade ihop dem till en boll medan hon tankfullt lyssnade till regnets sakta sus. Så det ska växa! upprepade hon och lät bollen falla ur sin tass. Den föll rakt ner i Trollkarlens hatt men det märkte Muminmamman inte. Hon drog sig tillbaka på sitt rum för att sova, för det fanns ingenting hon älskade så mycket som att somna medan det regnade på taket.

Men i havets djup låg Snorkens långrev och lurade. Den hade redan legat i ett par timmar och Snorkfröken höll på att förgås av ledsnad.

Det är spänningen det kommer an på, förklarade Mumintrollet. Det *kan* finnas nånting på varenda krok, förstår du.

Snorkfröken suckade lite.

Men i alla fall, sa hon. När man sänker kroken är det en halv löja på den och när man drar upp den är där en hel abborre. Man vet att där är en hel abborre.

Eller ingenting alls! sa Snusmumriken.

Eller en ulk, sa Hemulen.

Det där kan ett fruntimmer inte förstå, avslutade Snorken. Nu kan vi börja dra upp. Men ingen får skrika. Sakta! Sakta!

Den första kroken kom upp.

Den var tom.

Den andra kroken kom upp.

Den var också tom.

Det här bevisar bara att de går på djupet, sa Snorken. Och är hemskt stora. Tyst nu med er, allesammans.

Han drog upp fyra tomma krokar till och sa:

Det är en listig en. Han tar betena för oss. Hemskt vad han måste vara stor.

Allihop låg över relingen och stirrade in i det svarta djupet där långreven kröp ner.

Vad tror du det är för en fisk? frågade Sniff.

En mameluk, allra minst, sa Snorken. Titta nu här, tio tomma krokar till!

Håhåjaja, sa Snorkfröken.

Håhåjajaja så lagom, sa hennes bror argt och fortsatte att hala. Tyst med er, annars skrämmer ni bort honom!

Krok efter krok hakades fast i långrevslådan. Tottar av sjögräs och tång. Ingen fisk. Absolut ingenting alls.

Plötsligt skrek Snorken:

Obs! Det drar! Jag är absolut säker på att det drar!

Mameluken! skrek Sniff.

Nu måste ni vara behärskade, sa Snorken med till-kämpat lugn. Dödstystnad! Här kommer han!

Den spända reven hade slaknat men långt nere i det dunkelgröna glimtade nånting vitt. Var det Mamelukens bleka fiskmage? Som en bergsrygg ur havsbottnens hemlighetsfulla landskap höjde sig nånting mot ytan... nånting väldigt, hotfullt, orörligt. Grönt och mossigt som stammen av ett jätteträd gled det upp under båten.

Håven! skrek Snorken. Var är håven!

Och i samma ögonblick fylldes luften av dån och vitt skum. En väldig svallvåg höjde Äventyret på sin kam och slängde långrevslådan upp och ner på durken. Så blev det lika plötsligt stilla igen.

Bara den avslitna reven dinglade melankoliskt över relingen och väldiga virvlar i vattnet utmärkte vidund-rets väg.

Tror du *nu* att det var en abborre? frågade Snorken sin syster med ett mycket eget tonfall. En sån fisk får jag aldrig mer. Och riktigt glad blir jag heller aldrig.

Det var här den gick av, sa Hemulen och höll upp reven. Nånting säger mig att tråden var för tunn.

Gå och bada, sa Snorken och gömde ögonen i tassen.

Hemulen ville säga nånting, men Snusmumriken sparkade honom på smalbenet. Det blev alldeles tyst i båten. Så sa Snorkfröken försiktigt:

Tänk om vi skulle göra ett försök till? Fånglinan håller säkert?

Snorken fnös. Om en stund mumlade han:

Och kroken då?

Din fällkniv, sa Snorkfröken. Om du fäller ut båda bladen och korkskruven och skruvmejseln och prylen så ska han väl fastna nånstans!?

Snorken tog tassen från ögonen och sa:

Ja, men betet?

Pannkakan, sa hans syster.

Snorken begrundade saken en stund medan alla höll andan av spänning. Till slut sa han:

Om nu Mameluken äter pannkakor, och då visste man att jakten skulle fortsättas.

Fällkniven bands stadigt fast i fånglinan med en bit ståltråd som Hemulen hade i fickan, pannkakan fästes på kniven och alltihop sänktes i havet. De väntade under tystnad.

Plötsligt vippade Äventyret till.

Schschschsch! sa Snorken. Han nappar! En knyck till. Häftigare. Och så kom ett våldsamt ryck som slängde allihop ner på durken.

Hjälp! skrek Sniff. Han äter upp oss!

Äventyret doppade nosen i sjön men reste sig igen och satte av i vild fart utåt havet. Fånglinan låg spänd som en sträng framför henne, och där den försvann i vattnet reste sig två vita mustascher av skum.

Mameluken tyckte tydligen om pannkaka.

Lugn! skrek Snorken. Lugn i båtar! Varje man på sin post!

Bara han inte dyker! ropade Snusmumriken som krupit fram i fören.

Men Mameluken lade iväg rätt fram, längre och längre ut till sjöss. Snart låg stranden som en smal strimma bakom dem.

Hur länge tror ni han orkar hålla på? undrade Hemulen.

I värsta fall får vi skära av repet, sa Sniff. Annars går det på er risk!

Aldrig! utbrast Snorkfröken och skakade sitt pannludd.

Nu vispade Mameluken i luften med sin väldiga stjärt, svängde och lade av inåt kusten igen.

Det går lite långsammare nu, skrek Mumintrollet som låg på knä i aktern och kontrollerade kölvattnet. Han håller på att tröttna!

Mameluken var trött men han hade också blivit arga-

101

re. Han knyckte i linan och svängde hit och dit så att Äventyret krängde på det mest livsfarliga sätt.

Ibland vart han alldeles stilla för att lura dem och så satte han av med en sån kraft att svallvågorna slog in över fören. Då tog Snusmumriken fram sin munharmonika och spelade jaktsången och de andra stampade takten så att durken skalv. Och se! I samma stund vände Mameluken sin väldiga buk i vädret.

En större har aldrig funnits.

De betraktade den ett ögonblick under tystnad.

Så sa Snorken: Jag fick honom i alla fall!

Ja! sa hans syster stolt.

Medan Mameluken bogserades iland blev regnet kraftigare. Hemulens klänning var genomdränkt och Snusmumrikens hatt hade helt och hållet mist passformen.

Det är nog ganska vått i grottan nu, sa Mumintrollet som satt och frös vid årorna.

Kanske mamma är orolig, tillade han om en stund.

Du menar att vi liksom kunde gå hem så småningom, sa Sniff.

Ja, och visa fisken, sa Snorken.

Vi *går* hem, avgjorde Hemulen. Det är bra med ovanliga saker ibland. Hemska historier och att bli våt och klara sig ensam och sådär. Men det är inte *trivsamt* i längden.

De hade lagt bräder under Mameluken och bar honom med förenade krafter genom skogen. Det uppspärrade gapet var så stort att trädgrenarna fastnade i tänderna, och han vägde så många hundra kilo att de måste vila vid varje vägkrök. Det regnade värre och värre. När de kom fram till Mumindalen skymde regnet bort hela huset.

Vi lämnar honom här ett slag, föreslog Sniff.

Aldrig i livet, sa Mumintrollet upprört.

Och de fortsatte ner genom trädgården. Plötsligt stannade Snorken och sa: Vi har gått fel.

Äsch, sa Mumintrollet. Där är ju vedboden och där nere är bron.

Ja, men var är huset? frågade Snorken.

Märkligt, mycket märkligt. Muminhuset var borta. Det fanns inte, helt enkelt. De lade ner Mameluken på guldsanden framför trappan. Det vill säga, trappan fanns inte heller. I stället...

Men först måste det förklaras vad som hade hänt i Mumindalen medan de var ute på mamelukjakt.

När Mumintrollets mamma senast omtalades drog hon sig tillbaka för att sova. Men innan hon gjorde det, snurrade hon tanklöst ihop Hemulens kryptogamer till en boll och släppte den i Trollkarlens hatt. Hon borde aldrig ha städat!

För medan huset låg försänkt i eftermiddagssömn började kryptogamerna växa på ett förtrollat sätt.

Sakta slingrade de upp ur Trollkarlens hatt och kröp ner på golvet. Klängen och bladskott trevade uppför väggarna, klättrade i gardiner och spjällsnören, krånglade sig ut genom springor och ventiler och nyckelhål. I den fuktiga luften slog blommor ut och frukter mognade med spöklik hastighet. Väldiga bladknippen tassade uppför trappan, slingerväxter kröp ut och in mellan bordsbenen och hängde ner ur taklamporna som ormbon.

Växandet uppfyllde huset med ett sakta prassel, ibland hördes en helt liten smäll när en jätteblomma slog ut eller en frukt dunsade i mattan. Men Muminmamman trodde att det bara var regnet, vände sig på andra sidan och sov vidare.

I rummet bredvid satt Mumintrollets pappa och skrev på sina memoarer. Det hade inte hänt nånting roligt att skriva om sen han byggde båtbryggan, så pappan höll istället på med att beskriva sin barndom. Därunder blev han så rörd att han nästan grät. Han hade alltid varit ett ovanligt och begåvat barn som ingen förstod sig på. När han blev äldre var han lika oförstådd och hade det förskräckligt på alla vis. Muminpappan skrev och skrev och tänkte på hur alla skulle ångra sig när de läste hans memoarer. Då blev han glad igen och sa för sig själv: Det är rätt åt dem!

I detsamma rullade ett plommon ner på papperet och gjorde en stor blå fläck.

Vid min svans! utbrast Muminpappan. Nu är de hemma igen!

Men när pappan vände sig om stirrade han in i ett vilt busksnår, översållat med gula bär. Han störtade upp och genast föll ett tätt regn av blåa plommon över skrivbor-

det. Under taket klättrade ett tätt grenverk som sakta växte och sträckte sina gröna skott mot fönstret.

Hallå! skrek Mumintrollets pappa. Vakna! Kom hit!

Muminmamman satte sig upp med ett ryck. I stor häpnad betraktade hon sitt rum som var fyllt av små vita blommor. De hängde ner ur taket i fina trådar med sirliga bladrosetter mellan varje blomma.

O, så vackert, sa Muminmamman. Det här har nog Mumintrollet gjort för att fröjda mig. Och hon förde försiktigt den tunna blomstergardinen åt sidan och klev ner på golvet.

Hallå! skrek Muminpappan bakom väggen. Öppna! Jag kommer inte ut!

Mumintrollets mamma försökte förgäves skjuta upp dörren. Slingerväxternas kraftiga stammar hade ohjälpligt barrikaderat den. Då slog hon in rutan i trappdörren och kravlade sig med stor möda genom hålet. Över trappan växte ett fikonsnår och salongen var en ren djungel.

Håhåjaja, sa Mumintrollets mamma. Det är förstås den där hatten nu igen. Och hon satte sig ner och fläktade sig i pannan med ett palmblad.

Bisamråttan dök fram ur badrummets ormbunkskog och sa med jämmerlig röst:

Här ser man följderna av att samla växter! Jag har aldrig trott riktigt på den där Hemulen!

Och lianerna växte upp genom skorstenen och klängde ner över taket och höljde hela muminhuset i en frodig grön matta.

Men ute i regnet stod Mumintrollet och stirrade på den stora gröna kullen där blommor oupphörligt öppnade sina kalkar och frukter mognade från grönt till gult, från gult till rött.

Här låg det åtminstone, sa Sniff.

Det är inuti, sa Mumintrollet dystert. Ingen kan komma in och ingen kan komma ut. Aldrig mer!

Snusmumriken gick fram och snusade intresserat. Inga fönster, ingen dörr. Bara en tät vild matta av vegetation. Han tog ett stadigt tag i en ranka och drog. Den var seg som gummi och omöjlig att få av men slog i förbifarten ett halvslag kring hans hatt och lyfte den av honom.

Trolleri igen, sa Snusmumriken. Det börjar bli tröttsamt.

Under tiden sprang Sniff runt den igenväxta verandan. Källargluggen, skrek han. Den är öppen!

Mumintrollet kom störtande och kikade in genom det svarta hålet. In med er, sa han beslutsamt. Men fort, innan det växer igen här också! De kravlade sig ner i källarmörkret, en efter en.

Hej! skrek Hemulen som var sist. Jag kommer inte igenom!

Då får du stanna utanför och vakta Mameluken, sa Snorken. Du kan ju botanisera huset.

Och medan den stackars Hemulen smågnällde ute i regnet trevade de andra sig uppför källartrappan.

Vi har tur, sa Mumintrollet. Dörren är öppen. Där ser ni att det är bra att vara slarvig ibland!

Det var jag som glömde att låsa den, sa Sniff, så äran är min!

De möttes av en märklig syn. Bisamråttan satt i en grenklyka och åt päron.

Var är mamma? frågade Mumintrollet.

Hon försöker hugga fram din pappa ur hans rum, sa Bisamråttan bittert. Jag hoppas bisamhimlen är en lugn plats, för snart är det slut med mig!

De lyssnade. Väldiga yxhugg kom lövverket kring dem att skaka. Ett brak, och ett glädjerop. Mumintrollets pappa var befriad!

Mamma! Pappa! skrek Mumintrollet och banade sig väg genom djungeln fram till trappan. Vad har ni ställt till med medan jag var borta!

Ja, kära barn, sa Muminmamman. Vi har väl slarvat med Trollkarlens hatt nu igen. Men kom hit upp! Jag har hittat en björnbärsbuske i garderoben!

Det var en förtjusande eftermiddag. Man lekte en urskogslek där Mumintrollet var Tarzan och Snorkfröken Jane. Sniff fick vara Tarzans son och Snusmumriken var schimpansen Cheeta. Snorken kröp omkring i undervegetationen med löständer av apelsinskal*) och föreställde fiende överhuvudtaget.

Tarzan hungry, sa Mumintrollet och klättrade uppför en lian. Tarzan eat now!

Vad säger han? frågade Sniff.

Han säger att nu ska han äta, sa Snorkfröken. Det är det enda han kan, förstår du. Det är engelska och talas av alla som kommer till djungeln.

Uppe på klädskåpet upphävde Tarzan sitt urskogsvrål och svarades genast av Jane och de vilda vännerna.

Värre än det här kan det åtminstone inte bli, mumlade Bisamråttan. Han hade gömt sig i ormbunksskogen igen och svept en handduk om huvudet för att ingenting skulle växa in i öronen på honom.

Nu rövar jag bort Jane! ropade Snorken och släpade Snorkfröken vid svansen med sig till hålan under salongsbordet. När Mumintrollet kom hem till deras bo i takkronan upptäckte han genast vad som hade hänt. Med en kolossalt fin hissanordning firade han sig ner, försatte djungeln i darrning med sitt stridsrop och rusade fram för att rädda Jane.

*) Fråga din mamma; hon vet hur man gör dem! – *Förf. anm.*

Håhåjaja, sa Mumintrollets mamma. Men de tycks ha roligt.

Det har jag med, sa Muminpappan. Ge mig en banan är du snäll.

På detta sätt roade man sig ända till kvällen. Det var ingen som brydde sig om att källardörren växte igen och ingen som kom ihåg den stackars Hemulen.

Han satt fortfarande med den våta klänningen slokande kring benen och vaktade Mameluken. Ibland åt han ett äpple eller räknade ståndarna i en djungelblomma men däremellan suckade han mest.

Det hade slutat regna och skymningen kom. Och i samma ögonblick solen gick ned hände det nånting med den gröna kullen kring muminhuset. Den började viss-

na, lika hastigt som den vuxit upp. Frukterna skrumpnade och föll till marken. Blommorna slokade och bladen krullade ihop sig. På nytt fylldes hela huset av prassel och knastrande. Hemulen tittade på en stund, så gick han fram och drog lite i en gren. Den gick tvärt av och var torr som fnöske. Då fick Hemulen en idé. Han samlade ihop en väldig hög ris och grenar, gick till vedboden efter tändstickor, och så tände han ett sprakande bål mitt på trädgårdsgången.

Nöjd och glad satte sig Hemulen bredvid brasan och torkade sin klänning. Om en stund fick han en idé till. Med överhemula krafter drog han Mamelukens stjärt in i elden. Stekt fisk var det bästa han visste.

Så kom det sig att när muminfamiljen och dess vilda vänner banat sig väg genom verandan och stött upp dörren, fick de syn på en mycket lycklig Hemul som redan hade ätit upp en sjundedel av Mameluken.

Din stropp! sa Snorken. Nu hann jag aldrig väga min fisk!

Väg mig och addera, föreslog Hemulen som hade en av sina ljusa dagar den dan.

Nu eldar vi upp urskogen! sa Muminpappan. Och de bar ut hela bråten ur huset och gjorde den största brasa som nånsin skådats i Mumindalen.

Mameluken stektes på glöden i hela sin längd och åts upp ända till nosspetsen. Men långa tider efteråt grälade man om hur lång han varit; om han hade räckt från trappan ända ner till vedboden eller bara till syrenbuskarna.

Sjätte kapitlet

i vilket Tofslan och Vifslan kommer in i historien, med-
förande en mystisk kappsäck och förföljda av Mårran,
samt vari Snorken leder en rättegång.

En tidig morgon i början av augusti kom Tofslan och
Vifslan gående över berget, ungefär på samma ställe där
Sniff hade hittat Trollkarlens hatt.

De stannade på toppen och tittade ner över Mumin-
dalen. Tofslan hade en röd mössa på huvudet och Vifs-
lan bar på en stor kappsäck. De hade kommit en myck-
et lång väg och var ganska trötta. Under deras fötter
bland björkar och äppelträd steg morgonröken ur mu-
minhusets skorsten.

En röksla, sa Vifslan.

Man kokslar nånting, sa Tofslan och nickade. Så började de vandra ner i dalen medan de samtalade på det märkvärdiga sätt som är eget för alla Tofslor och Vifslor. Det begreps ju inte av alla men huvudsaken var att de själva visste vad det var fråga om.

Tror du vi får komsla in? undrade Tofslan.

Det berorslar på, sa Vifslan. Låt inte skrämsla dig om de är usla mot oss.

Mycket försiktigt tassade de fram mot huset och stannade blygt vid trappan.

Törslar vi knacksla? sa Tofslan. Tänk om nån komslar ut och skrikslar.

I detsamma stack Mumintrollets mamma huvudet genom fönstret och skrek: Kaffe!

Tofslan och Vifslan vart så fruktansvärt rädda att de kastade sig in genom gluggen till potatiskällaren.

Usch då, sa Muminmamman och hoppade till. Det var bestämt två råttor som slank in i källaren. Sniff, spring ner med lite mjölk åt dem!

Så fick hon syn på kappsäcken som stod kvar framför trappan. Bagage också, funderade mamman. Håhåjaja. Då kommer de för att stanna.

Och hon vandrade iväg för att leta reda på Muminpappan och be honom göra två sängar till. Men mycket, mycket små. Under tiden hade Tofslan och Vifslan grävt ner sig bland potatisen så att bara ögonen syntes, och där väntade de i stor förskräckelse på vad som skulle hända med dem.

I alla fallsla kokslar de kafsla, mumlade Vifslan.

Nån komslar! viskade Tofslan. Tyst som en musla!

Källardörren knarrade och på översta trappsteget stod Sniff med en lykta i ena tassen och ett fat mjölk i den andra.

Hej! Var är ni? sa Sniff.

Tofslan och Vifslan kröp ännu längre ner och höll hårt i varann.

Vill ni ha mjölk? sa Sniff lite högre.

Han lurslar oss, viskade Vifslan.

Om ni tror jag tänker stå här halva dan så misstar ni er, sa Sniff argt. Elakhet eller oförstånd. Gamla fåniga råttor som inte har vett att gå stora ingången!

Men då vart Vifslan allvarsamt ledsen och sa:

Råttsla kan du vara självsla!

Jaså, de är utlänningar också, sa Sniff. Det är nog bäst jag tar hit Mumintrollets mamma.

Han låste källardörren och sprang in i köket.

Nå, ville de ha mjölken? frågade Muminmamman.

De talar utländska, sa Sniff. Ingen kan begripa vad de säger!

Hur lät det? frågade Mumintrollet som satt och stötte kardemumma med Hemulen.

Råttsla kan du vara självsla, sa Sniff.

Muminmamman suckade.

Det här blir just månljust, sa hon. Hur ska jag kunna förstå vad de önskar sig till efterrätt på sin födelsedag eller hur många kuddar de vill ha under huvudet!

Vi får lära oss deras språk, sa Mumintrollet. Det låter lätt. Åttsla, attsla, uttsla.

Jag tror jag förstår dem, sa Hemulen eftertänksamt. De sa nog åt Sniff att han var en gammal skallig råtta.

Sniff rodnade och knyckte på nacken.

Gå och tala med dem själv då, om du är så fiffig, sa han.

Hemulen lunkade iväg till källartrappan och ropade vänligt:

Välkomsla, välkomsla!

Tofslan och Vifslan stack upp huvudet ur potatishögen och tittade på honom.

Mjölksla! Gottsla! fortsatte Hemulen.

Då tassade Tofslan och Vifslan uppför trappan och kom in i salongen.

Sniff tittade på dem och konstaterade att de var mycket mindre än han själv. Då kände han sig vänligare och sa nedlåtande:

Hej. Roligt att se er.

Tacksla detsamsla! sa Tofslan.

Kokslar ni kafsla? undrade Vifslan.

Vad sa de nu? frågade Muminmamman.

De är hungriga, sa Hemulen. Men de tycker fortfarande inte att Sniffs utseende är nånting att komma med.

Hälsa dem då, sa Sniff upprörd, att aldrig i mitt liv har jag sett två såna strömmingsansikten. Och nu går jag ut.

Sniffsla argsla, sa Hemulen. Dumsla!

Kom för all del in och drick kaffe, sa Mumintrollets

mamma nervöst. Och hon visade Tofslan och Vifslan vägen till verandan medan Hemulen följde efter, mycket stolt över sin nya rang som tolk.

Tofslan och Vifslan införlivades sålunda i muminhushållet. De gjorde inte mycket väsen av sig och mest gick de omkring och höll varann i hand. Och kappsäcken hade de med sig överallt. Men när skymningen kom blev de märkbart oroliga och sprang upp- och nerför trapporna och gömde sig under mattan.

Hur är det fattsla? undrade Hemulen.

Mårran komslar! viskade Vifslan.

Mårran? Vem är det? sa Hemulen och blev lite skrämd.

Tofslan spärrade upp ögonen och visade tänderna och gjorde sig så stor som möjligt.

Grymsla och hemsksla! sa Vifslan. Stängsla dörrslan för Mårran!

Hemulen sprang till Muminmamman och sa:

De påstår att en grym och hemsk mårra kommer hit. Vi måste låsa alla dörrar till natten!

Men vi har ju bara nyckel till källardörren, sa Mumintrollets mamma bekymrad. Sådär är det alltid med utlänningar. Och hon gick för att tala med Muminpappan om saken.

Vi måste beväpna oss och flytta möblerna framför dörren, sa Mumintrollets pappa. En sån där hemskt stor mårra kan vara farlig. Jag ska sätta upp en alarmklocka i salongen och Tofslan och Vifslan får sova under min säng.

Men Tofslan och Vifslan hade redan krupit in i en byrålåda och vägrade att komma fram.

Muminpappan skakade på huvudet och gick efter sin bössa i vedboden.

Det var redan augustimörkt ute och trädgården var full av sammetssvarta skuggor. Det susade dystert i skogen och lysmaskarna var ute med sina ficklampor.

Pappan kunde inte hjälpa att det kändes lite kusligt att gå efter bössan. Om den där mårran nu låg bakom en buske! Man visste ju inte ens hur den såg ut. Och framför allt, hur stor den var. När Muminpappan kom in på verandan igen ställde han soffan för dörren och sa:

Ljuset måste brinna hela natten! Var och en ska vara alarmberedd och Snusmumriken får sova inomhus i natt.

Det var ohyggligt spännande. Mumintrollets pappa knackade på byrålådan och sa:

Vi ska beskydda er!

Men allt var tyst i lådan. Då drog pappan ut den för att se om Tofslan och Vifslan redan var bortrövade. Men de sov fridfullt och bredvid sig hade de sin kappsäck.

Kanske vi går och lägger oss i alla fall, sa han. Men beväpna er allesammans!

Under stor ängslan och mycket prat drog man sig tillbaka på sina rum och småningom härskade tystnad i muminhuset. Bara petroleumlampan brann ensam på salongsbordet.

Klockan blev tolv. Den slog ett. Lite över två vakna-
de Bisamråttan och kände att han behövde gå ner. Han
tassade sömnigt ut på verandan. Där blev han i stor för-
våning stående framför soffan. Den stod mittför dörren
och den var tung. Såna idéer, mumlade Bisamråttan och
drog i soffan allt vad han orkade. Och då ringde för-
stås alarmklockan som Mumintrollets pappa hade satt
upp.

På ett ögonblick fylldes huset av skrik, bösskott och
tramp av många fötter. Varenda en kom nedrusande i sa-
longen med yxor, saxar, stenar, spadar, knivar och krat-
tor och ställde sig att stirra på Bisamråttan.

Var är Mårran? skrek Mumintrollet.

Asch, det var jag, sa Bisamråttan förargad. Jag skulle

bara gå ut och kissa ett slag. Inte kom jag ihåg er fåniga mårra.

Gå då ut med detsamma, sa Snorken. Men gör inte om det! Och han slog upp verandadörren på vid gavel.

Då – såg de Mårran. Varenda en såg henne. Hon satt orörlig på sandgången nedanför trappan och stirrade på dem med runda, uttryckslösa ögon.

Hon var inte särskilt stor och inte såg hon så farlig ut heller. Man kände bara på sig att hon var förskräckligt elak och kunde vänta hur länge som helst.

Och *det* var hemskt.

Ingen kom sig för att anfalla henne. Hon satt kvar en stund, så gled hon bort i trädgårdens mörker. Men där hon suttit hade marken frusit.

Snorken stängde dörren och ruskade på sig.

Stackars Tofslan och Vifslan, sa han. Hemul, titta efter om de är vakna.

De var vakna.

Har den gåttsla? frågade Vifslan.

Sovsla lugnsla, sa Hemulen.

Tofslan suckade lite och sa, tacksla och lovsla! Och de drog kappsäcken med sig längst in i lådan för att sova vidare.

Kan man lägga sig igen då? frågade Muminmamman och ställde ifrån sig yxan.

Gör det du, sa Mumintrollet. Snusmumriken och jag tänker vaka över er ända tills solen går upp. Men lägg din väska under kudden för säkerhets skull.

Så satt de ensamma i salongen och spelade poker ända till morgonen. Och Mårran hördes inte av vidare den natten.

Nästa morgon kom Hemulen bekymrad ut i köket och sa: Jag har talat med Tofslan och Vifslan.

Nå, vad är det nu igen då? sa Mumintrollets mamma med en suck.

Det är deras kappsäck Mårran vill ha, sa Hemulen.

Ett sånt odjur! utbrast mamman. Att röva ifrån dem deras små ägodelar!

Ja, inte sant, sa Hemulen. Nu är det bara en sak som gör det hela komplicerat. Det tycks som om det var Mårrans kappsäck.

Hm, sa Muminmamman. Det gör verkligen saken svårare. Vi ska tala med Snorken, han reder ut allting så bra.

Snorken var mycket intresserad.

Det är ett märkligt fall, sa han. Vi måste hålla ett möte. Alla ska infinna sig vid syrenbuskarna klockan tre för att avhandla frågan.

Det var en varm och vacker eftermiddag, full av dofter och bin. Trädgården stod grann som en förlovnings-bukett i de djupa färger den sena sommaren har.

Bisamråttans hängmatta var spänd mellan buskarna och försedd med ett plakat där man kunde läsa: Mårrans åklagare. Snorken själv satt på en låda och väntade och hade tagit på sig en peruk av träull.

Var och en kunde se att han var domare. Mitt emot

honom satt Tofslan och Vifslan och åt körsbär bakom
ett bräde som klart och tydligt var de anklagades bås.

Jag ska be att få vara deras åklagare, sa Sniff (som inte
hade glömt bort att Tofslan och Vifslan kallat honom en
gammal skallig råtta).

I så fall blir jag deras försvarare, sa Hemulen.

Än jag då? frågade Snorkfröken.

Du är folkets röst, sa hennes bror. Muminfamiljen
vittnar. Vad Snusmumriken angår kan han göra anteck-
ningar beträffande rättegångsförhandlingarna. Men or-
dentligt!

Man frågar sig varför Mårran inte ska ha nån för-
svarsadvokat, sa Sniff.

Det behövs inte, sa Snorken. Mårran har rätt. Är ni
klara då. Färdiga. Vi börjar.

Han dunkade tre gånger i lådan med en hammare.

Begripslar du allsla? frågade Tofslan.

Inte ett duggsla, sa Vifslan och blåste en körsbärskärna på domaren.

Ni ska uttala er först när jag säger till, sa Snorken. Ja eller nej. Ingenting annat. Är sagda kappsäck er eller Mårrans?

Josla! sa Tofslan.

Neisla! sa Vifslan.

Skriv upp att de motsäger sig! skrek Sniff.

Snorken dunkade i lådan. Lugn! ropade han. Nu frågar jag för sista gången vems kappsäck det är.

Vårsla! sa Vifslan.

De säger att den är deras, översatte Hemulen. I morse sa de tvärtom.

Ja, då slipper vi ge den åt Mårran, sa Snorken lättad. Men det var synd på alla mina anordningar.

Tofslan sträckte på sig och viskade nånting åt Hemulen.

Tofslan säger såhär, sa Hemulen. Det är bara *Innehållet* i väskan som är Mårrans.

Ha, sa Sniff. Jag kunde tro det. Saken är klar utan vidare. Mårran får sitt Innehåll tillbaka och strömmingsansiktena behåller sin gamla kappsäck.

Det är inte alls klart! ropade Hemulen djärvt. Frågan är inte vem som äger Innehållet, utan vem som har större rätt till det. Den rätta saken på sin rätta plats! Ni såg Mårran allihop. Nu frågar jag er, såg hon ut som om hon hade rätt till Innehållet?

Det är så sant, sa Sniff förvånad. Du är ju riktigt fiffig! Men tänk på hur ensam Mårran är just för att ingen tycker om henne och hon tycker illa om alla. Innehållet är kanske det enda hon har! Ska nu det också tas ifrån henne! Ensam och utstött i natten, fortsatte Sniff med darrande röst, bedragen på sin enda ägodel av Tofslor och Vifslor…

Han snöt sig och kunde inte fortsätta.

Snorken knackade i lådan.

Mårran behöver inget försvarstal, sa han. Dessutom är din synpunkt känslobetonad och det är Hemulens också. Vittnena fram! Uttala er!

Vi tycker hemskt bra om Tofslan och Vifslan, ansåg muminfamiljen. Mårran ogillade vi från början. Det är sorgligt om hon måste ha sitt Innehåll tillbaka.

Rätt ska vara rätt, sa Snorken högtidligt. Ni måste vara sakliga! I all synnerhet som Tofslan och Vifslan aldrig ser nån skillnad på rätt och orätt. De är födda såna och kan inte hjälpa det. Åklagare, vad har du att säga?

Men Bisamråttan hade somnat i hängmattan.

Nåja, sa Snorken. Han var väl inte intresserad. Har vi sagt allt som bör sägas innan jag avkunnar domen?

Ursäkta, sa folkets röst, men skulle det inte klarna om vi fick veta vad Innehållet egentligen är?

Tofslan viskade nånting igen. Hemulen nickade.

Det är en hemlighet, sa han. Tofslan och Vifslan tycker Innehållet är det vackraste som finns men Mårran

123

tycker bara det är det dyrbaraste.

Snorken nickade flera gånger och skrynklade ihop sin panna. Det är ett svårt fall, sa han. Tofslan och Vifslan har resonerat alldeles riktigt men de har handlat orätt i alla fall. Och rätt ska vara rätt. Jag måste tänka. Tyst med er nu.

Det blev alldeles stilla bland syrenbuskarna. Bina surrade, trädgården stod och brann i solskenet.

Plötsligt strök ett kallt drag över gräset. Solen gick i moln och trädgården såg grå ut.

Vad var det? sa Snusmumriken och lyfte pennan från protokollet.

Hon är här igen, viskade Snorkfröken.

I det frusna gräset satt Mårran och glodde på dem.

Hon flyttade långsamt blicken till Tofslan och Vifslan. Hon började morra och hasade sig sakta närmare.

Hjälpsla! skrek Tofslan. Räddsla oss!

Stopp, Mårra, sa Snorken. Jag har nånting att säga dig!

Mårran stannade.

Jag har tänkt färdigt, fortsatte Snorken. Går du med på att Tofslan och Vifslan får köpa Innehållet i kappsäcken? Vad är ditt pris?

Högt! sa Mårran med isig röst.

Räcker mitt guldberg på hatifnattarnas ö? frågade Snorken.

Mårran skakade på huvudet.

Hu så kallt här är, sa Mumintrollets mamma. Jag går in efter en schal. Hon sprang genom trädgården där frosten kröp fram i Mårrans spår och upp på verandan.

Och där fick Muminmamman en idé. Het av förtjusning lyfte hon upp Trollkarlens hatt. Måtte bara Mårran uppskatta den! När mamman kom tillbaka till domstolsförhandlingarna ställde hon hatten i gräset och sa:

Här är det dyrbaraste i hela Mumindalen! Vet Mårran vad som har vuxit ur den här hatten? De vackraste små styrbara moln, förvandlingsvatten och fruktträd! Den enda trollhatten i världen!

Bevisa! sa Mårran hånfullt.

Då lade Muminmamman ett par körsbär i hatten. Alla väntade under dödstystnad.

Bara det inte blir nånting otäckt av dem, viskade Snusmumriken till Hemulen. Men de hade tur. När Mårran tittade ner i hatten låg där en handfull röda rubiner.

Sedär! sa Muminmamman glad. Och tänk på vad det blir om man till exempel lägger dit en pumpa!

Mårran tittade på hatten. Hon tittade på Tofslan och Vifslan. Hon tittade på hatten igen. Man såg att hon tänkte av alla krafter.

Till slut nappade Mårran till sig Trollkarlens hatt och utan ett ord gled hon bort som en gråkall skugga. Det var sista gången hon syntes i Mumindalen och sista gången de såg nånting av Trollkarlens hatt.

På en gång blev färgerna varma igen och sommaren fortsatte, surrande och doftande.

Tack och lov att vi blev av med den där hatten, sa

Muminmamman. Nu har den för en gångs skull ställt till med nånting förnuftigt.

Men våra moln *var* trevliga, sa Sniff.

Och att leka Tarzan i urskogen, sa Mumintrollet melankoliskt.

Så brasla det gicksla! sa Vifslan glatt och lyfte upp kappsäcken som hela tiden hade stått i de åklagades bås.

Fenomenalsla, sa Tofslan och tog Vifslan i handen. Och tillsammans gick de tillbaka till muminhuset medan de andra stod och tittade efter dem.

Vad sa de nu? frågade Sniff.

Godmiddag, ungefär, sa Hemulen.

Sista kapitlet

som är mycket långt och beskriver Snusmumrikens avfärd
och hur den mystiska kappsäckens innehåll avslöjades, där-
jämte hur Mumintrollets mamma fick tillbaka sin väska och
i glädjen ordnade en stor fest, samt slutligen hur Troll-
karlen anlände till Mumindalen.

Det var i slutet av augusti. Ugglorna hoade om natten
och fladdermöss kom i stora svarta flockar och kretsade
ljudlöst över trädgården. Skogen var full av bloss och
havet oroligt. Det låg förväntan och sorgsenhet i luften
och månen vart stor och het i färgen. Mumintrollet hade
alltid tyckt mest om de allra sista sommarveckorna men
han visste inte riktigt varför.

Vindens och havets ton var en annan, allting luktade förändring, träna stod och väntade.

Jag undrar om det inte kommer att hända nånting ovanligt, tänkte Mumintrollet.

Han hade vaknat och låg och tittade i taket. Det måste vara bra tidigt på morgonen och det blir solsken, funderade han vidare.

Så vände han på huvudet och såg att Snusmumrikens säng var tom.

Och i detsamma hörde han den hemliga signalen under fönstret, en lång vissling och två korta vilket betyder: Och vad har du för planer idag?

Mumintrollet hoppade ur sängen och tittade ut. Trädgården låg ännu i skugga och det var svalt. Och där stod Snusmumriken och väntade.

Jo-ho, ropade Mumintrollet, men mycket sakta för att inte väcka nån, och så klättrade han nerför repstegen.

Hej, sa han.

Hej, hej, sa Snusmumriken.

De vandrade ner till floden och satte sig på broräcket med benen dinglande över vattnet. Solen hade hunnit över skogstopparna nu och lyste dem rakt i ansiktet.

Just så här satt vi i våras, sa Mumintrollet. Vi hade vaknat ur vintersömnen och det var den första dan. Alla de andra sov än.

Snusmumriken nickade. Han satt och gjorde vassbåtar som han lät segla nerför floden.

Vart far de? frågade Mumintrollet.

Till platser där jag inte är, sa Snusmumriken. Den ena farkosten efter den andra svängde runt flodkröken och försvann.

Lastade med kanel, hajtänder och smaragder, sa Mumintrollet.

Snusmumriken suckade.

Du talade om planer? sa Mumintrollet. Har du själv nån?

Ja, sa Snusmumriken. Jag har en plan. Men det är en av de ensamma, du vet.

Mumintrollet tittade mycket länge på honom. Sen sa han:

Du tänker ge dig av.

Snusmumriken nickade.

De satt en stund och svängde med benen över floden utan att prata. Den rann vidare och vidare under dem, hela tiden, bort till de främmande platserna dit Snusmumriken längtade och skulle fara alldeles ensam.

När far du? frågade Mumintrollet.

Nu genast! sa Snusmumriken och slängde alla vassbåtarna i vattnet på en gång. Han hoppade ner från broräcket och vädrade i morgonluften. Det var en bra dag att vandra. Bergskammen låg röd i solskenet och vägen slingrade upp mot den och försvann på andra sidan. Där fanns en ny dal, och sen kom det nya berg...

Mumintrollet stod och tittade på medan Snusmumriken packade ihop tältet.

Stannar du länge borta? frågade han.

Nej, sa Snusmumriken. Första vårdag är jag här igen och visslar under fönstret. Ett år går så fort!

Ja, sa Mumintrollet. Hej då.

Hej, hej, sa Snusmumriken.

Mumintrollet stannade kvar på bron. Han såg Snusmumriken bli mindre och mindre och slutligen försvinna bland björkar och äppelträd. Men om en stund hörde han munharmonikan. Snusmumriken spelade "Alla små djur slår rosett på sin svans".

Nu är han glad, tänkte Mumintrollet.

Musiken blev allt svagare och till slut var det alldeles tyst. Då tassade Mumintrollet tillbaka genom den daggvåta trädgården.

På trappan hittade han Tofslan och Vifslan som hade kurat ihop sig i solskenet.

Hejsla på dejsla, sa Tofslan.

Hej själv, sa Mumintrollet för nu hade han lärt sig förstå deras språk (om han än talade det med svårighet).

Har du gråtslat? frågade Vifslan.

Äsch, sa Mumintrollet. Snusmumriken har gett sig av.

Så tråksligt, sa Tofslan medlidsamt. Kan det glädsla dig lite om du får pussla Tofslan på noslan?

Mumintrollet pussade Tofslan vänligt på nosen men inte såg han gladare ut för det.

Då stack Tofslan och Vifslan huvudena ihop och viskade en lång stund.

Sen sa Vifslan högtidligt:

Vi har beslutslat visla dig Innehållslet.

I kappsäcken? frågade Mumintrollet.

Tofslan och Vifslan nickade ivrigt. Komsla, komsla, sa de och kilade in under häckarna.

Mumintrollet kröp efter. Inne i den tätaste busken hittade han en hemlig plats där Tofslan och Vifslan hade prytt marken med dun och hängt upp snäckor och små vita stenar bland grenarna. Det var alldeles skumt där-inne. Ingen som gick förbi häcken kunde ana att där fanns en hemlig plats. På en matta av bast stod Tofslans och Vifslans kappsäck.

Det där är Snorkfrökens matta, sa Mumintrollet. Hon letade efter den igår.

Josla, sa Vifslan. Hon kunde inte veta ett duggsla att vi hade hittslat den!

Hm, sa Mumintrollet. Och nu hade ni tänkt visa mig vad ni har i er kappsäck?

Tofslan och Vifslan nickade förtjust. De ställde sig på varsin sida om kappsäcken och räknade allvarligt: Ettsla! Tvåsla! TRESLA! Och så öppnade de locket med en smäll.

Det var det värsta, sa Mumintrollet.

Hela det lilla rummet fylldes av ett milt, rött ljus. Framför honom låg en rubin, stor som ett panterhuvud, glödande som solnedgången, levande som eld och vat-tenglitter.

Tyckslar du om den? frågade Tofslan.

Ja, sa Mumintrollet med svag röst.

Nu gråtslar du inte mersla? sa Vifslan.

Mumintrollet skakade på huvudet.

Tofslan och Vifslan suckade belåtet och satte sig ner för att betrakta ädelstenen. De stirrade tysta och hänförda in i den.

Rubinen växlade som havet. Ibland var den bara ljus, så flög en rosenfärg över den, precis som över en snötopp när solen går upp – och plötsligt sköt mörkröda flammor upp ur dess innersta. Den kunde bli som en svart tulpan med ståndare av små gnistor.

O, om Snusmumriken kunde se den! sa Mumin-
trollet.

Han stod där länge, länge. Tiden blev så långsam och
hans tankar så stora.

Till slut sa han: Det var fint. Får jag komma tillbaka
och titta på den nån dag?

Men Tofslan och Vifslan svarade inte.

Då kröp Mumintrollet ut ur häcken igen, och han
kände sig lite yr i det bleka dagsljuset och måste sitta i
gräset ett slag för att ta igen sig.

Det var det värsta, tänkte han. Jag kan bita mig i svan-
sen på att det där är Kungsrubinen som Trollkarlen håll-
er på att leta efter på månen. Tänka sig att den här lilla
Tofslan och Vifslan har haft den i sin kappsäck hela ti-
den! Mumintrollet försjönk i djupa funderingar. Han
märkte inte att Snorkfröken kom vandrande genom
trädgården och satte sig bredvid honom. Om en stund
petade hon försiktigt på hans svanstofs.

Å, är det du! sa Mumintrollet och hoppade till. Snork-
fröken smålog. Har du sett min nya frisyr? frågade hon
och vred på huvudet.

Oj då, sa Mumintrollet.

Du tänker på nånting annat, sa Snorksystern. Till
exempel vad?

Min morgonros, det kan jag inte tala om, sa Mumin-
trollet. Men mitt hjärta är tungt i mig, för Snusmumri-
ken har rest sin väg.

Det menar du inte, sa Snorkfröken.

Jo. Men han sa adjö till mig först. Han väckte ingen annan än mig för att säga adjö, sa Mumintrollet.

De satt kvar i gräset och kände hur solen steg och värmde. Sniff och Snorken kom ut på trappan.

Hallå, sa Snorkfröken. Vet ni att Snusmumriken har rest söderut?

Utan mig! sa Sniff upprörd.

Man måste vara ensam ibland, sa Mumintrollet. Du är för liten att förstå det än. Var är de andra?

Hemulen har gått för att plocka svamp, sa Snorken. Och Bisamråttan har tagit in sin hängmatta för han tycker det börjar bli kallt om nätterna. Din mamma är förresten på väldigt dåligt humör idag!

Arg eller lessen? sa Mumintrollet förvånad.

Mera lessen tror jag, sa Snorken.

Då måste jag genast gå in, sa Mumintrollet och reste sig. Det är ju förskräckligt.

Muminmamman satt på salongssoffan och såg olycklig ut.

Vad nu då? sa Mumintrollet.

Kära barn, det har hänt nånting förfärligt, sa hans mamma. Min väska är försvunnen. Jag kan inte klara mig utan den! Jag har sökt överallt men den finns inte!

Det var hemskt, sa Mumintrollet. Vi måste leta reda på den åt dig!

Det blev ett väldigt sökande. Bara Bisamråttan vägrade att delta. Av allt onödigt, sa han, är väskor det onödigaste. Tänk efter. Tiden går och dagarna växlar precis likadant antingen muminfrun är med väska eller utan.

Det är en oerhörd skillnad, sa Muminpappan. Jag känner mig alldeles främmande för Mumintrollets mamma om hon är utan väska. Jag har aldrig sett henne utan förr!

Var det mycket i den? frågade Snorken.

Nej, sa Muminmamman. Bara saker som kan behövas plötsligt. Torra strumpor och karameller och ståltråd och magpulver och sånt där.

Vilken belöning får vi om vi hittar den? undrade Sniff.

Vad som helst! sa mamman. Jag gör en stor fest för er och ni får bara efterrätter till middagen och ingen behöver tvätta sig eller lägga sig tidigt!

Då fortsattes sökandet med dubbel kraft. De letade igenom hela huset. De tittade under mattor och sängar, i spisen och källaren, på vinden och taket. De sökte i hela trädgården, i vedboden och nere vid floden. Ingen väska.

Du har väl inte klättrat i träd med den eller haft den med dig när du badade? frågade Sniff.

Nej, sa Muminmamman. O, vad jag är olycklig!

Vi skickar ut telegramblad! föreslog Snorken.

Det gjorde de, och telegrambladen kom ut med detsamma med två väldiga nyheter.

SNUSMUMRIKEN LÄMNAR MUMINDALEN!

stod det. Mystisk avfärd i daggryningen! och med större bokstäver:

MUMINMAMMANS VÄSKA FÖRSVUNNEN!
Inga ledtrådar! Sökandet pågår. Oerhörd augustifest som hittelön!

Så fort nyheten hunnit spridas vart det ett väldigt vimmel i skogen, på bergen, vid havet. Varenda enkel skogsråtta gav sig ut för att leta. Bara gamla och orkeslösa stannade hemma och hela Mumindalen ekade av rop och spring.

Håhåjaja, sa Mumintrollets mamma. Ett sånt liv jag har ställt till med! Men hon var ganska nöjd.

Vad är det de sökslar? frågade Vifslan.

Min väska förstås, sa Muminmamman.

Din svartsla då? sa Tofslan. Med fyrsla små fickslor och som man kan spegsla sig i?

Hur sa du? frågade Muminmamman. Hon var för orolig för att kunna koncentrera sig.

Den svartsla med fyrsla fickslor, sa Tofslan.

Jaja, sa mamman. Spring ut och lek, små vänner, och ängsla er inte för mig!

Vad tyckslar du? sa Vifslan när de kommit ut i trädgården.

Jag kan inte se henne sörjsla sådär, sa Tofslan.

Hon måste väl fåsla den då, sa Vifslan med en suck. Men det var brasla att sovsla i de små fickslorna.

Så gick Tofslan och Vifslan till sin hemliga plats som

ingen ännu hade upptäckt och drog fram Muminmammans väska under rosengrenarna.

Klockan var precis tolv när Tofslan och Vifslan gick genom trädgården släpande väskan mellan sig. Höken fick genast syn på dem och ropade ut nyheten över Mumindalen. Nya telegramblad skickades ut överallt: MUMINMAMMANS VÄSKA FUNNEN! Tofslan och Vifslan hittade den! Rörande scener i muminhuset!

Är det verkligen sant! utbrast Mumintrollets mamma. O, så hemskt roligt! Var hittade ni den?

I buskslorna, sa Tofslan. Den var så brasla att sovsla...

Men i detsamma kom gratulanterna instörtande genom dörren och mamman fick aldrig veta att hennes väska hade använts som sovrum av Tofslan och Vifslan (och det var kanske lika så bra).

För övrigt var det ingen som kunde tänka på nånting annat än den stora augustifesten. Allt skulle vara klart innan månen gick upp. Tänk att förbereda en stor fest och veta att den blir rolig och att alla de rätta personerna är med!

Till och med Bisamråttan kom och intresserade sig.

Ni ska ha många bord, sa han. Små bord och stora. På överraskande platser. Ingen vill sitta stilla på samma ställe på en stor fest. De kommer att fnatta omkring värre än vanligt, är jag rädd. Och först ska ni bjuda på det finaste ni har. Senare gör det detsamma vad de får för då är de glada i alla fall. Och stör dem inte med uppvisningar, sång och sånt där, utan låt dem vara program själva.

När Bisamråttan hade uttalat denna förvånande levnadsvisdom drog han sig tillbaka till sin hängmatta för att läsa i boken om Alltings Onödighet.

Vad ska jag ta på mig? frågade Snorkfröken och var nervös. Den blå hårprydnaden av fjäder eller pärldiademet?

Ta fjädrarna, sa Mumintrollet. Bara fjädrar kring öronen och fotlederna. Möjligen två, tre stycken instuckna i svanstofsen.

Tack! sa Snorkfröken och störtade iväg. I dörren körde hon ihop med Snorken som kom bärande på kulörta papperslyktor.

Se dig för! sa han. Du gör mos av lyktorna! Om jag kunde fatta vad systrar är till för! Och han tågade ut i trädgården och började hänga upp lyktorna i träden. Under tiden arrangerade Hemulen fyrverkeripjäserna på lämpliga platser. Där fanns blått stjärnregn, eldormar, bengalisk snöstorm, silverfontäner och raketer med skott.

Jag är i en sån ohygglig spänning! sa Hemulen. Kan vi inte släppa av en enda på prov?

De syns inte i dagsljus, sa Mumintrollets pappa. Men ta en eldorm om du vill och bränn av den i potatiskällaren.

Muminpappan stod framför trappan och lagade till röd bål i några tunnor. Han tillsatte den med russin och mandel, syltad lotus, ingefära, socker och muskotblomma, en och annan citron och ett par liter rönnbärslikör för att sätta sprätt på det hela.

Ibland smakade han hur det blev.

Det blev mycket bra.

En sak är sorglig, sa Sniff. Vi får ingen musik. Snusmumriken är borta.

Vi förstärker vår gamla speldosa, sa Muminpappan. Allt ordnar sig! Den andra skålen tömmer vi till Snusmumrikens ära.

Vems är den första då? frågade Sniff förhoppningsfullt.

Tofslans och Vifslans förstås, sa pappan.

Förberedelserna bara ökade i omfång. Hela dalens och skogens, bergens och strandens invånare kom bärande med mat och dricka och allt breddes ut på borden i trädgården. Stora högar av lysande frukter och väldiga smörgåsfat, och på mycket små bord under buskarna dukades det fram nötter och bladbuketter, bär uppträdda på strån, sockerrötter och veteax. Mumintrollets mamma rörde till pannkakssmet i badkaret för grytorna räckte inte till. Så bar hon upp elva oerhörda syltkrukor ur källaren (den tolfte sprack tyvärr när Hemulen brände av eldormar men det gjorde ingenting för Tofslan och Vifslan slickade upp det mesta).

Tänksla sig! sa Tofslan. Så mycket bråksla bara till vår ärsla!

Ja, det är svårt att begripsla, sa Vifslan.

Tofslan och Vifslan hade fått hedersplatserna vid det största bordet.

När det hunnit bli så mörkt att lyktorna kunde tändas slog Hemulen på gonggong och det betydde: Nu börjar vi!

Först var det mycket högtidligt.

Alla hade klätt sig så fina som möjligt och kände sig lite underliga till mods. Man hälsade och bockade och sa: Så bra att det inte blev regn och tänk att väskan hittades.

Ingen vågade sätta sig.

Muminpappan höll ett litet inledningstal där han talade om varför man höll den här festen och tackade Tofslan och Vifslan.

Sen sa pappan nånting om den korta nordiska sommaren och att alla skulle vara så glada som möjligt och så började han tala om hur det var i hans ungdom.

Då körde Mumintrollets mamma fram en hel skottkärra med pannkakor och alla började applådera.

Det var genast mycket mindre högtidligt och efter en stund var festen i full gång. Hela trädgården, ja hela dalen var full av små upplysta bord. Det gnistrade av eldflugor och lysmaskar och lyktorna i träden gungade för nattnordan som stora granna frukter.

Raketen med skott flög mot augustihimlen i en stolt kurva och oändligt högt uppe exploderade den i ett regn av vita stjärnor som sakta, sakta sjönk ner över dalen. Vartenda litet kryp vände nosen mot stjärnregnet och

hurrade – o, det var underbart!

Nu rusade silverfontänen upp, nu yrde den bengaliska snöstormen över trädtopparna! Och nerför trädgårdsgången rullade Mumintrollets pappa en stor tunna med röd bål. Alla kom springande med sina glas och Muminpappan fyllde vartenda ett, både koppar och skålar, näverbägare, snäckor och bladstrutar.

Skål för Tofslan och Vifslan! ropade hela Mumindalen. Hurra. Hurra. Hurra!

Hurrasla! skrek Tofslan och Vifslan och skålade med varann.

Sen steg Mumintrollet upp på en stol och sa:

Nu utbringar jag skålen för Snusmumriken som i natt vandrar söderut, ensam, men säkert lika lycklig som vi. Låt oss önska honom en god tältplats och ett lätt hjärta!

Och på nytt höjde hela dalen sina glas.

Du talade bra, sa Snorkfröken när Mumintrollet hade satt sig igen.

Javars, sa Mumintrollet blygsamt. Men jag hade tänkt ut det på förhand!

Men Muminpappan bar ut speldosan i trädgården och kopplade på en väldig högtalare. På ett ögonblick fylldes hela dalen av dans, skuttande, trampande, svängande, flaxande. Trädandarna dansade i luften med flygande hår och stelbenta muspar svängde runt i bersåerna.

Får jag lov! sa Mumintrollet och bugade sig för Snorkfröken.

142

Men när han tittade upp fick han syn på en glänsande rand över skogstopparna.

Det var augustimånen.

Större än nånsin gled den fram, orangegul och lite fransig i kanten som en inlagd aprikos. Månskenet föll så mystiskt över Mumindalen som fylldes av ljus och skugga.

I natt kan man till och med se månkratrarna, sa Snorkfröken. Titta!

Där måste vara hemskt ödsligt, funderade Mumintrollet. Stackars Trollkarl som går däruppe och letar!

Om vi hade en bra kikare kunde vi nog få syn på honom, sa Snorkfröken.

Jo, sa Mumintrollet. Men nu ska vi dansa!

Och festen fortsatte med ökad kraft.

Är du tröttsla? frågade Vifslan.

Nejsla, sa Tofslan. Jag funderslar. Alla är så snällsla mot oss. Vi borde glädsla dem lite!

Tofslan och Vifslan viskade en stund med varann, nickade och viskade igen.

Sen kröp de in till sin hemliga plats. När de kom ut igen hade de kappsäcken med sig.

Det var en bra bit efter klockan tolv när hela trädgården plötsligt fylldes av ett rosenrött ljus. Alla slutade dansa för de trodde att det var ett nytt fyrverkeri. Men det var bara Tofslan och Vifslan som hade öppnat sin kappsäck. Kungsrubinen låg i gräset och lyste, vackrare än nånsin.

Eldarna, lyktorna, till och med månen bleknade och tappade glansen. Tysta och andaktsfulla samlades alla kring den flammande ädelstenen i allt större och tätare skaror.

Tänk att det finns nånting så vackert, utbrast Mumintrollets mamma.

Och Sniff suckade djupt och sa:

Lyckliga Tofslan och Vifslan!

Men Kungsrubinen lyste som ett rött öga mot den nattmörka jorden och uppe på månen fick Trollkarlen syn på den. Han hade gett upp att leta vidare och satt trött och ledsen på kanten av en krater och tog igen sig medan hans svarta panter sov ett stycke därifrån.

Trollkarlen förstod genast vad den röda punkten nere på jorden betydde. Det var världens största rubin, Kungsrubinen, som han hade sökt efter i flera hundra år! Han störtade upp och med glödande ögon stirrade han mot jorden medan han drog handskarna på sig och fäste manteln över axlarna. De juveler han hade samlat i den lät han falla till marken – Trollkarlen brydde sig bara om en enda ädelsten, den som han om mindre än en halvtimme skulle hålla i sina händer.

Pantern kastade sig ut i luften med sin herre på ryggen.

Snabbare än ljuset jagade de fram genom världsrymden. Fräsande meteorer skar deras väg, stjärnstoft fastnade i Trollkarlens kappa som yrsnö.

Under honom strålade den röda gnistan starkare och starkare. Han styrde rakt mot Mumindalen och med ett sista mjukt språng landade pantern på berget.

Mumindalens invånare satt ännu i tyst begrundan framför Kungsrubinen. De tyckte sig inne i dess flammor se allt det vackraste, djärvaste och finaste de nånsin tänkt och upplevat och de fick lust att tänka och uppleva det en gång till. Mumintrollet kom ihåg sin nattvandring med Snusmumriken och Snorkfröken tänkte på hur stolt hon erövrat trädrottningen. Och Mumintrollets mamma tyckte sig åter ligga på den varma sanden i solskenet och se himlen mellan havsnejlikornas gungande huvuden.

Varenda en var långt borta i nånting han mindes. Och därför hoppade alla till när en liten vit mus med röda ögon slank ut ur skuggan och tassade fram mot Kungsrubinen. Efter honom kom en helsvart katt och sträckte ut sig i gräset.

Såvitt man visste bodde det ingen vit mus i Mumindalen och ingen svart katt heller.

Kiss, kiss! sa Hemulen.

Men katten bara blundade och brydde sig inte ens om att svara.

Godafton, kusin! sa skogsråttan.

Den vita musen tittade på henne med sina röda ögon, en lång, dyster blick.

Muminpappan steg fram med två bägare för att bjuda nykomlingarna på bål men de tog ingen notis om honom.

En viss förstämning kröp över dalen, man viskade och undrade. Tofslan och Vifslan blev oroliga och lyfte in rubinen i kappsäcken igen och stängde locket. Men när de skulle bära bort kappsäcken reste sig den vita musen på baktassarna och växte.

Han blev nästan lika stor som muminhuset. Han blev Trollkarlen i vita handskar och med röda ögon och när han hade vuxit färdigt satte han sig ner i gräset och tittade på Tofslan och Vifslan.

Fulsla gubbsla, gå din vägsla! sa Vifslan.

Var har ni hittat Kungsrubinen? frågade Trollkarlen.

Skötsla dina egna affärslor! sa Tofslan.

Ingen hade nånsin sett Tofslan och Vifslan så modiga.

Jag har sökt efter den i trehundra år, sa Trollkarlen. Jag bryr mig inte om nånting annat i hela världen!

Detsamsla för ossla! sa Vifslan.

Du kan inte ta Kungsrubinen ifrån dem, sa Mumintrollet. Den är ärligt köpt av Mårran!

Men Mumintrollet sa ingenting om att den var köpt för Trollkarlens egen gamla hatt (förresten hade han ju en ny på sig).

Ge mig nånting att styrka mig med, sa Trollkarlen. Det här börjar gå mig på nerverna.

Muminmamman kom genast framspringande med pannkaka och sylt och gav honom en stor tallrik.

Medan Trollkarlen åt vågade sig alla lite närmare. En som äter pannkaka med sylt kan inte vara så förfärligt farlig. Man kan tala med honom.

Smakslar det gottsla? frågade Tofslan.

Ja tack, sa Trollkarlen. Jag har inte fått pannkaka på de sista åttifem åren!

Alla tyckte genast synd om honom och kom ännu närmare.

När Trollkarlen hade ätit färdigt torkade han sina mustascher och sa:

Jag kan inte ta Kungsrubinen ifrån er, för det som är

147

köpt måste köpas på nytt eller ges bort. Kan ni inte sälja den åt mig för, låt oss säga två diamantberg och en dal full av blandade ädelstenar?

Nejsla! sa Tofslan och Vifslan.

Och ni kan inte ge den åt mig? frågade Trollkarlen.

Neejsla, sa Tofslan och Vifslan.

Trollkarlen suckade och satt en stund och funderade och såg ledsen ut.

Sen sa han:

Låt festen fortsätta. Jag ska trolla lite för er. Var och en får sitt eget trolleri. Varsågod och önska! Muminherrskapet först.

Mumintrollets mamma tvekade lite.

Ska det vara saker som syns? frågade hon, eller idéer. Ifall herrn förstår vad jag menar.

Jovisst, sa Trollkarlen. Saker är lättare förstås men det går nog med idéer också.

Då skulle jag bra gärna vilja att Mumintrollet inte sörjde efter Snusmumriken längre, sa Muminmamman.

Jag visste inte att det syntes på mig, sa Mumintrollet och blev röd om nosen.

Men Trollkarlen viftade ett slag med sin mantel och strax flög melankolin ut ur Mumintrollets hjärta. Hans längtan blev bara förväntan och det kändes mycket bättre.

Jag har en idé! ropade Mumintrollet. Snälla Trollkarl, låt hela matbordet med allt vad där är flyga iväg till Snusmumriken, var han än finns just nu!

I samma ögonblick höjde sig bordet mellan trädkronorna och svävade söderut med pannkaka och sylt, med frukter och blommor och bål och karameller, samt med Bisamråttans bok som han hade lagt på bordshörnet.

Nej, nu! sa Bisamråttan. Jag ska be att få min bok tillbakatrollad med detsamma!

Gjort är gjort! sa Trollkarlen. Men herrn ska få en ny bok. Varsågod!

"Om alltings behövlighet", läste Bisamråttan. Men det är ju alldeles fel! Den jag hade handlade om alltings onödighet!

Men Trollkarlen bara skrattade.

Det är visst min tur nu, sa Mumintrollets pappa. Men det är hemskt svårt att välja! Jag har tänkt på massor av saker men ingenting är riktigt bra. Ett växthus är roligare att göra själv. En jolle också. Förresten har jag det mesta!

Men du kanske inte behöver önska alls, föreslog Sniff. Du kan låta mig önska två gånger istället?

Nåja, sa Muminpappan. Men när man nu en gång *får* önska...

Du ska skynda dig lite, sa Mumintrollets mamma. Önska dig ett par riktigt fina pärmar för dina memoarer!

Ja, det blir bra, sa pappan och blev glad. Alla upphävde rop av beundran när Trollkarlen överräckte en pärlbesatt pärm av guld och röd saffian.

Nu får jag! ropade Sniff. En egen båt! En båt som en snäcka med purpursegel! Masten ska vara av jakaranda och alla årklykorna av smaragder!

Det var inte lite det, sa Trollkarlen vänligt och svängde med kappan.

Alla höll andan, men båten syntes inte till.

Blev det inget? sa Sniff besviken.

Visst blev det, sa Trollkarlen. Men jag lade den nere vid stranden förstås. Du hittar den där i morgon.

Med årklykor av smaragd? frågade Sniff.

Säkert. Fyra stycken och en i reserv, sa Trollkarlen. Näste man.

Tja, sa Hemulen. Om jag ska säga som saken är, så har jag haft av botaniseringsspaden som jag lånade av Snorken. Så jag skulle absolut behöva en ny.

Och han knixade*) väluppfostrat när Trollkarlen överlämnade den nya botaniseringsspaden.

Blir man inte trött av att trolla? frågade Snorkfröken.

Inte för så här lätta saker! sa Trollkarlen. Och vad ska lilla fröken ha?

Det är nog mera svårt, sa Snorkfröken. Får jag viska?

När hon hade viskat färdigt såg Trollkarlen lite förvånad ut och frågade:

Är fröken säker på att de kommer att passa?

Ja! Säkert! andades Snorkfröken.

Nå, då så! sa Trollkarlen. Låt gå!

I nästa stund gick ett rop av häpnad genom mängden.

*) Hemulen knixar därför att det ser lite fånigt ut att bocka i en klänning. – *Förf. anm.*

Snorkfröken stod framför dem med ett alldeles förändrat utseende.

Vad har du gjort med dig! utbrast Mumintrollet upprörd.

Jag har önskat mig trädrottningens ögon, sa Snorkfröken. Du tyckte ju att hon var vacker!

Ja, men, mumlade Mumintrollet olyckligt.

Tycker du inte de är vackra? sa Snorkfröken och började gråta.

Nå nå, sa Trollkarlen. Om det inte var bra så kan ju frökens bror önska de gamla ögonen tillbaka!

Ja, men jag hade tänkt mig nånting helt annat, protesterade Snorken. Om hon gör fåniga önskningar så är det väl inte mitt fel!

Vad hade du tänkt då? frågade Trollkarlen.

En uträkningsmaskin! svarade Snorken. En maskin som räknar ut ifall saker är rättvisa eller orättvisa, bra eller dåliga.

Det är för svårt, sa Trollkarlen och skakade på huvudet. Det går jag inte i land med.

Nå, i så fall en maskin som skriver, sa Snorken. Min syster ser väl lika bra med sina nya ögon!

Ja, men hon ser inte lika bra ut, sa Trollkarlen.

Snälla du! grät Snorkfröken som hade fått tag i en spegel. Önska mina gamla små ögon tillbaka! Jag ser ju hemsk ut!

Nåja, sa Snorken ädelmodigt. Du ska få dem för familjeärans skull. Men jag hoppas du är lite mindre fåfänglig efter det här.

Snorkfröken tittade i spegeln igen och ropade till av förtjusning. Hennes gamla hemtrevliga ögon satt på sin plats igen, men ögonfransarna hade faktiskt blivit lite längre! Hon omfamnade strålande sin bror och ropade:

Ljuvling! Älskling! Du ska få en maskin som skriver som vårpresent av mig!

Asch, sa Snorken generad. Inte ska man pussas när folk ser på. Jag orkade inte se på dig i det där hemska skicket, det var hela saken.

Jaha, nu är det bara Tofslan och Vifslan kvar av husfolket, sa Trollkarlen. Ni får en gemensam önskan för er kan man ju inte skilja på!

Ska du inte önsksla nånting självsla då? undrade Tofslan.

Jag kan inte, sa Trollkarlen sorgset. Jag kan bara önska för andra och förvandla mig till olika saker!

Tofslan och Vifslan stirrade på honom. Så stack de huvudena ihop och viskade en lång stund.

Därefter sa Vifslan högtidligt:

Vi har beslutslat önsksla för dig, för du är snällsla. Vi vill ha en rubinsla som är lika storsla och skönsla som vårsla!

Alla hade sett Trollkarlen skratta men ingen trodde att han kunde le. Nu smålog han med hela ansiktet. Han var så glad att det syntes överallt på honom, på öronen, på hatten, på kängorna! Utan ett ord svängde han sin kappa över gräset – och se! Åter fylldes trädgården av rosenröda flammor, där låg en tvilling till Kungsrubinen, en Drottningrubin, framför dem.

Nu blev du allt gladsla! sa Tofslan.

Om jag blev! ropade Trollkarlen och lyfte ömt upp den lysande klenoden i sin kappa. Nu får varenda småknytt och skogsråtta och kryp i hela dalen önska sig vad han, hon eller den vill ha! Jag ska uppfylla era önskningar ända till morgonen för innan solen går upp ska jag vara hemma igen.

Och nu blev det fest på allvar!

Framför Trollkarlen ringlade en lång kö av pipande, skrattande, brummande och hojtande skogsinvånare som allihop ville ha en önskan uppfylld. Den som önskade dumt fick göra om det för Trollkarlen var på ett strålande humör. Dansen tog fart igen och nya skottkärror med pannkaka kördes in under träden. Hemulen smällde av fyrverkerier i ett kör och Muminpappan bar ut sina memoarer i deras fina pärm och läste högt om sin barndom.

Aldrig hade man festat så kraftigt i Mumindalen!

O, ljuvlighet, att när man har ätit upp allt, druckit ur allt, talat om allt och dansat sina ben trötta gå hem i den tysta timmen före soluppgången för att sova!

Trollkarlen flyger till världens ände och musmodern kryper ner under sin grästuva men båda är lika lyckliga.

Och kanske lyckligast är Mumintrollet som med sin mamma går hem genom trädgården, just när månen bleknar i gryningen och träna rör sig lite i morgonvin-

den som kommer utifrån sjön. Nu stiger den svala hös-
ten in i Mumindalen. För annars kan det ju inte bli vår
igen.

Tove Jansson

Finlandssvensk författare och konstnär.
Född den 9 augusti 1914 i Helsingfors.

Tove Jansson föddes i en konstnärsfamilj. Pappan var den finlandssvenske skulptören Viktor Jansson och mamman den svenska tecknaren Signe Hammarsten-Jansson. Tove har också två yngre bröder, Per Olov och Lars. Hon har skildrat sin barndom i den självbiografiska boken *Bildhuggarens dotter* (1968).

Yrkesvalet var självklart för Tove – hon skulle också bli konstnär. Tove studerade på konstskolor i Stockholm, Helsingfors och Paris. Hon fick hjälpa till att försörja familjen genom att illustrera i tidningar och böcker redan under studietiden. Under 30-talet illustrerade hon i den politiska tidskriften *Garm*, där hon i sina teckningar protesterade mot nazi-Tyskland och Hitler. Tidigt ritade hon en figur (en snork) som liknade Mumintrollet, och använde den som signatur till sina bilder.

1945 gav hon ut den första muminboken, *Småtrollen och den stora översvämningen*. I boken finner Mumintrollet en paradisisk mumindal. Det egentliga genombrottet för Tove Jansson som barnboksförfattare kom med boken *Trollkarlens hatt* (1948). Den översattes snart till engelska, vilket banade väg för muminböckernas översättning till andra språk; i dag över 30 stycken!

I muminböckerna är muminfamiljen den självklara mittpunkten. Kring familjen samlas så småningom också en del andra invånare: Snorkfröken och Sniff, Snusmumriken och Lilla My, filifjonkor, hatifnattar och hemuler – alla med sin egenart och

Tove Jansson med några av sina figurer.

speciella livshållning. Böckerna om Mumindalen är sinsemellan väldigt olika. *Trollkarlens hatt* är ett lättsamt sagoäventyr, medan *Pappan och havet* och *Sent i november* riktar sig till äldre barn och även till vuxna. Egentligen är muminböckerna både barnböcker och vuxenböcker.

Tove Jansson skriver också romaner och noveller som uttryckligen vänder sig till vuxna läsare, t.ex. *Solstaden* (1974) och *Resa med lätt bagage* (1989).

Hon har fått en rad utmärkelser genom åren, bl.a. Nils Holgersson-plaketten 1953 för *Hur gick det sen?*, Elsa Beskowplaketten 1958 för illustrationerna i *Trollvinter*, H.C. Andersenmedaljen 1966, Litteraturfrämjandets stora pris 1977 och Svenska Kulturfondens hederspris 1983.